人生悟語

卷四

面壁詩思

編　　輯　　陳小歡
實習編輯　　陳泳淇（香港城市大學中文及歷史學系四年級）
書籍設計　　蕭慧敏　Création 城大創意製作

「人生悟語」四字由香港著名書法家何幼惠先生題字。何先生為中國書協香港分會執行委員及大方書畫會會長，精於小楷，筆法雅淳秀逸。謹此致謝。

國際統一書號：978-962-937-438-9

出版
　　香港城市大學出版社
　　香港九龍達之路
　　香港城市大學
　　網址：www.cityu.edu.hk/upress
　　電郵：upress@cityu.edu.hk

Contemplating Life: Liu Zaifu's Meditation for a New Genre
Volume IV: Poiesis by a Wall-facer
(in traditional Chinese characters)

ISBN: 978-962-937-438-9

Published by
　　City University of Hong Kong Press
　　Tat Chee Avenue
　　Kowloon, Hong Kong
　　Website: www.cityu.edu.hk/upress
　　E-mail: upress@cityu.edu.hk

Printed in Hong Kong

目錄

序言——「新文體寫作」的意義

劉劍梅

我父親（劉再復）非常勤奮，數十年如一日地堅持「黎明即起」，每天早晨五點便開始寫作。從五點到九點，這是他的黃金時段，創造時刻。數十年的「一以貫之」，使他著作等身，僅中文書籍就出版了一百二十五種（五十多種原著，七十多種選本、增訂本、再版本）。我從讀北大開始，就喜歡他的片斷性思想札記，那時札記發表得並不多，但因我是「近水樓台」，所以還是讀了一些，比如《雨絲集》。出國之後，他思如泉湧，一發而不可收，竟然寫下了二千多段悟語（「獨語天涯」八百多段，「面壁沉思錄」四百多段，「《紅樓夢》悟語」六百多段，「《西遊記》三百悟」三百段，「雙典百感」一百段，各類人生悟語近一百段）。這些悟語，精粹凝煉，語短意長，每一段都有一個文眼，即思想之核。二千多則，可以視為「悟語庫」了。

我稱父親的悟語寫作為「新文體寫作」。所謂新文體，乃是指它不同於當下流行的小品、雜文、散文詩，也不同於隨想錄等文體。雜文較長，有思想、有敍事、有議論，而悟語則只有思想而沒有敍事與感慨。與散文詩相比，它又沒有抒情與節奏。與隨想錄相比，它顯得更為明心見性，完全沒有思辨過程，也可以說沒有邏輯過程。這種文體很適合於生活節奏快速的現代社會。我相信，那些忙碌又喜歡閱讀的智者與識者，肯定最歡迎這種文體，他們在工作的空隙中，在旅途的勞頓中，都可以選擇一些段落加以欣賞和思索，享受其中一些對世界、人類、歷史的詩意認知，達到事半功倍的效果。

我稱這些悟語為「新文體」是否恰當？可以討論。説它是「新」，乃是相對於流行的文體即論文、散文、雜文等，但如果放眼數千年的文學藝術史，我們還是可以發現，這種「思想片斷」的寫作曾經出現過。例如古羅馬著名的帝王哲學家馬可·奧理略（Marcus Aurelius）所寫的《沉思錄》（中文版由何懷宏先生所譯），便是他在軍旅勞頓中的哲學感悟，一段一段都是精彩的悟語。此書影響巨大，千年不衰，早已成為西方思想史上公認的名著。我覺得他寫的正是「悟語」。每一則都有思想，但沒有思辨過程。尼采（Friedrich Nietzsche）和羅蘭·巴特（Roland Barthes）也喜歡採用這種片斷式寫作來表述他們靈動的思想。魯迅的《熱風》，其文字形式正是尼采式的悟語。諾貝爾文學獎評委霍拉斯·恩格道爾（Horace Engdahl）在他的著作《風格與幸福》（中文版由陳邁平先生所譯）中，有一章題為「有關碎片寫作的筆記」，專門論述「悟語」這一革命性文體，談到歷代西方文學家各式各樣的「碎片寫作」。他認為「碎片寫作」是對立於體系寫作的一種寫作。它不求邏輯建構，而是像精靈一樣四處遊蕩，這些表面無序的不連續的文字，「是在無數個體的中心生出來的」。恩格道爾有一段精彩的定義：「碎片寫作的決定可以讓不同思想區域之間的自由移動成為可能。諾瓦利斯（Novalis）談到過『精神的旅行藝術』，在他的筆記裏這種藝術採用永遠處在回到一切涉及精神的事物的返鄉形式。這是一部飛翔着的百科全書。」[1]

儘管悟語寫作、片斷寫作已有前例，但我父親能寫出這麼多的感悟之語，實在不容易。況且他又有新的創造，例如評述中國四大名著的悟語，便有許多新的眼光和新的思路，無論是對《紅樓夢》、《西遊記》的禮讚，還是對《水滸傳》、《三國演義》的文化批判，都可謂入木三分，不同一般。文學評論、文化批判也可通過悟語進行，而且可以超越文本和擊中要害，這的確是一種有意思的實驗。可以說，父親對碎片寫作的思維空間進行了先鋒性的拓展。他認為，在人文科學中，文學只代表廣度，歷史呈現深度，哲學則可代表高度，而碎片寫作也可以在此三維度上加以發展。從廣度上說，以往的碎片寫作多半着眼於人生遭際中的感受，倫理色彩較濃。從孔子的《論語》到奧理略的《沉思錄》以至尼采，皆是如此。但他加以擴展，把碎片寫作運用到文學批評、文化批評、國民性批評和人類性批評。文學批評如對《紅樓夢》中的人物分析；文化批評如〈西遊記三百悟〉講「禪而不相」、「禪而不

1 〔瑞典〕霍拉斯・恩格道爾著，萬之譯：《風格與幸福》（上海：復旦大學出版社，2017），頁76–77。

宗」、「禪而不佛」等；國民性批評，如〈西遊記三百悟〉中的第二百九十八則和二百九十九則尖銳地批判了中國的國民性問題；人類性批評，如〈童心說〉涉及的是普遍的人性問題。從深度上說，悟語的深度來自他對歷史的認知與對世界的認知。歷史有表層結構，也有深層結構。深度主要是呈現於對深層歷史的認知和深層文學的認知。如〈雙典百感〉的第五十六則，揭露《三國演義》維護正統的旗號，實際上漢王朝已日薄西山，奄奄一息，美化劉備與抹黑曹操全是權術（騙人的把戲）。還有〈《紅樓夢》悟語二百則〉的第二百零五則，寫的並非歷史，但把文學的深度揭示出來了。至於他如何把碎片寫作推向哲學，看看〈紅樓哲學筆記三百則〉就明白了，其中每段都有一個小標題——無相哲學、自然的人化、情壓抑而生大夢、叩問人生究竟、色透空也透、立人之道、意象心學、棄表存深、通脱主體論、隨心哲學等——每一題都有哲學感悟，每一段均有所妙悟。在中國寫作史上，如此大規模地通過片斷寫作展示密集豐富的哲學思想，以前還沒有見過。

父親晚年近莊子和禪宗，他對自己在海外近三十年漂泊生活的領悟，以及對中國四大名著的重新闡釋，都採取「片斷悟語」的寫作形式，其實如同一段段「禪悟」，以心讀心，與古典名著裏的一個個靈魂對話，也同時與自己的多重主體對話，捕捉思想的精彩瞬間。他曾經這樣描述自己的悟語寫作：

在我心目中，「悟語」類似「隨想錄」與「散文詩」，有些「悟語」其實就是散文詩和隨想錄，但多數「悟語」還是不同於這兩者。隨想錄寫的是隨感，「悟語」寫的是悟感。所以每則悟語，一定會有所悟，有所「明心見性」之「覺」。隨想錄更接近《傳習錄》（王陽明），悟語更近《六祖壇經》（慧能）。與散文詩相比，「悟語」並不刻意追求文采和內在情韻，只追求思想見識，但某種情思較濃的「悟語」也有些文采，只是必須嚴格地掌握分寸，不可「以文勝質」，只剩下漂亮的空殼。[2]

我個人認為，父親的這種「新文體寫作」，跟他自一九八九年選擇海外漂流的「第二人生」有緊密的關係。這第二人生給他的最大收穫，就是獲得了內心的大自由，身心均得大自在。這種不再被政治權力、國家界限、世俗利益約束的內心大自由，不可能再用學院派的重體系、重邏輯、重理論的文學批評語言來表述，而必須找到實驗性更強、自由度更大的文體來承載他自由的心靈書寫，「悟語」或「碎片寫作」這種文體，給了他一種解放的形式，便於闡發一種屬於他自己的內心真實，而且他在瞬間感悟的真實都是他自身的多重個體的折射，於是，這種「新文體寫作」成了呈現他選擇的徹底的「心性本體論」的載體，如同他所說的：「佛就是心，心就是佛。佛不在寺廟裏，而在人的心靈裏。講的是徹底的心性本體論。慧能

2 劉再復：《天涯悟語》（北京：三聯書店，2013），頁404–405。

的《六祖壇經》説『自性迷，即是眾生；自性覺，即是佛』，所謂『覺』，就是心靈在瞬間抵達『真理』的某一境界，在心中與佛相逢，並與佛同一、合一。」[3]這種「新文體」寫作——碎片寫作、悟語寫作，是對個體「瞬間領悟」、「瞬間覺悟」的記錄，是飛翔的思緒，是流動的靈光，是精神的自由旅行。

卷一至卷四的「劉再復新文體沉思錄」有兩項基本內容。第一部分體現了父親在海外漂泊的歲月裏不停地尋找「家園」及尋找精神皈依的旅程。從前的地理意義上的故鄉消失了，他需要重新定義自己心目中的家園，於是他在碎片寫作中，一邊叩問歷史和家國，一邊叩問「我是誰」；一隻眼睛看世界、看歷史，另一隻眼睛看自我——看被粗暴的時代分割成碎片的自我；他一邊讀生命，另一邊讀死亡；他一邊讀東方，另一邊讀西方；他一方面重新找尋中西方文化相通的精神家園，另一方面又重新組合起一個多重的自我，有矛盾掙扎的自我，有回歸童心的自我，也有不斷超越的自我。這套新文體寫作的第二部分內容是重讀文學經典，也就是重讀中國四大古典名著：《紅樓夢》、《西遊記》、《三國演義》、《水滸傳》。用「片斷悟語書寫」闡釋中國四大古典名著的學者，恐怕父親是第一位，這種讀法既是一種文化批評，又是一種帶有啟迪性的文體創造。無論是討論小說人物，還是討論小說主題、文化內涵，父親其實最重視的還是這些小說塑造的「心靈世界」，以及這一心靈世

3 劉再復：《什麼是人生——關於人生倫理的十堂課》（香港：三聯書店，2017），頁106。

界對中國國民性的深刻影響。我在閱讀父親的這四卷「新文體沉思錄」時，認為父親用「片斷寫作」打破了傳統文學形式的界限，放下散文詩、文學評論、哲學思緒等形式阻隔，融合不同學科領域的特長和內涵，使得不同的表述形式和感悟處於一種自由的不規則、不系統的狀態，讓他的語言在稠密的思想中，撲扇着翅膀在空中滑翔，傳達了他聞的道、悟的道，傳達着普世哲學，也承載着中國當下幾乎喪失的人文精神。

帝王哲學家馬可·奧理略所寫的《沉思錄》已過去近兩千年了，他大約沒想到，今日的世界，人類的生活更為緊張，節奏更為快速，人們更需要這種言簡意繁的文字。我父親的這一新文體寫作，居然在不經意間與現在的微博、微信寫作有了一些外在的聯繫，就像他寫的：「老子所講的『大音希聲』，乃是對語言的終極性叩問。真正卓越的聲音是謙卑的、低調的，甚至是無言的。中國的詩句『此時無聲勝有聲』，乃是真理。最美的音樂往往是在兩個音符之間的過渡，此時沉靜的瞬間可以聽到萬籟的共鳴。」[4] 雖然父親的新文體寫作彷彿是「微言」，可是它讓我們以微見大，感悟生命的終極意義。它既是感性的，又是理性的；既是文學評論，又是文學創作；既是哲學的，又是文學的。它是對概念的放逐，是一種解放了的語言和文學實踐，是一種「心生命」。

4 劉再復：《天涯悟語》（北京：三聯書店，2013），頁352。

香港城市大學出版社的社長朱國斌先生、副社長陳家揚先生，慧眼獨具，深知悟語的價值，支持我父親的寫作試驗，這不僅鼓勵了父親，也鼓勵了我。我一直認為，文章與書籍是人寫的，人性極為豐富，文章也可有千種萬種，不必拘於幾種樣式。碎片式的寫作，悟語的嘗試，肯定也是一種路子。香港城市大學出版社的決定與支持，使我的思想更為開放，視野更加拓展，為此，我和父親一樣，都心存感激。

劉劍梅

二〇一八年寫於香港清水灣

面壁沉思錄

蒼穹的呼喚

01　意識到自己站立於地球之上，意識到身處無邊大宇宙系統中最美麗的地點，意識到周遭有那麼多精彩的兄弟姐妹，意識到在這個稀有的大地上還有無數生命景觀尚未欣賞，就足以讓我們熱愛生活。在宇宙的大明麗與大潔淨面前，方知生命語境大於歷史語境。歷史不過是不斷重複的事實，不能限制在歷史小語境中。而應當站立在「生命—宇宙」的深廣大語境中。這是蒼穹的呼喚。

02　托爾斯泰一邊寫作，一邊否定自己，與許多中國作家一邊寫作一邊誇張自己的情形很不相同。他在最後歲月離家「出走」，更是用決斷的行為語言作最後的自我否定。他每寫完一部巨著就不滿意自己，就離開這部巨著往前走，絕不自戀。卡夫卡臨終前交代朋友燒毀自己的書稿，也是最後的否定，絕不自戀。具有偉大的內在心靈與內在力量，把一切都看得很平常，不會放大自己，不會像狗一樣老是轉過頭來舔舐自己的尾巴。

03　告別自己，離開自己。揮手告別昨天，揮手告別昨天的光榮與驕傲，揮手告別昨天的詩集和文集，揮手告別昨天的文藝腔與教授腔，不自戀。一旦自戀就走不遠，一旦自戀會被昨天的影子拖住腳後跟。曾經屬於自虐的一代，不斷踐踏自己的一代。對自虐的懲罰便是產生自戀。曾經屬於自戀的一代，老是對着鏡子中的「自我相」微笑，忘記那是幻相與幻覺，於是就生活在幻相與幻覺中。

如今，每天都該告別自己，每天都應從幻相與幻覺中走出來，然後回到那個真實的內心。

04

大隱可隱逸於山林，也可隱逸於鬧市。喧囂的城市可以成其靜坐靜思的山洞，變成一扇悟道的牆壁，令其面壁十年、幾十年。達摩就是這樣的一個大隱。他的生命特徵是無論在什麼地方都可以作雲遊、神遊與逍遙遊。在洞穴之中，在宮廷之中，在寺廟之中，在世俗世界之中，他都可以面壁悟道說道。如果他到紐約、洛杉磯，一定也可以把紐約、洛杉磯當作一個洞或一堵牆，面對摩天大樓沉思。大隱生活在內心深處，他即使身在花花世界中也能夠與花花世界的喧囂保持內心的距離。內心的距離，使隱逸者的精神世界在任何地方都獲得冷靜與完整。大隱是心隱者，不是身隱者。

05

禪宗呼喚打破「我執」，並不是打破生命中的「真我」，而是那個「假我」，那個被概念和幻覺所構築的假我。這個假我化作一道城牆，封閉着真我。打破「我執」，就是推倒這道牆，把真我釋放出來。基督致力於「救世」，禪宗致力於「自救」。所謂「自救」，便是打破假我的圍困，救出本真的自我。復歸嬰兒，便是回歸到真我之中。

06

當綠影撒落窗前，寧靜降臨身邊和筆下，我便想起了天堂。天堂對我來說非常具體，但它不是瓊樓玉宇和雕欄玉砌，而是眼前的樹林、草地、陽光、小溪、山巒、峽谷，是工作着和歌吟着的女兒，是信賴我的兄弟，是與泥濁深淵拉開的長距離，是關於冰與火的反省與調侃，是浮上心際的友愛與情愛的記憶，是正在充分表述的思想及支持表述的乾淨的書桌和自由時間，是莎士比亞和曹雪芹等天才們為我構築的內心共和國。

07

本來就是普通的農家子，本來就一無所有，不知道什麼時候被桂冠名號所欺騙而自以為不普通。出國之後，最重要的收穫是回到普通人的位置上，自己開車，自己鋤草，自己包攬瑣碎的日常生活。不再以為自己是啟蒙者和社會良心，也不再是一個只會寫文章、不會生活的怪物。生活變得很具體，一切都好像可以用手觸摸到。真切的感覺透過手指，像血液流遍全身。這種時刻，才覺得自己確確實實行走在有沙有土的逼真的地上，一點也沒有虛空之感。

08

幾十年都盲目跟着群體走。突然有一天，醒悟了，轉過身來走自己的路。這一轉身，便是大轉折。這是生命的突圍，是新的起跑線，自由就從這裏開始。能夠轉身是幸福。轉過身後，便天天向生命靠近，向真實靠近，向童年時代追求光明的本能靠近。如果不能轉身而走到絕境，還可以抽身而走。王國維投昆明湖，便是在滔滔的大潮流與大濁流中抽身而走。他用自己的方式與歷史告別。轉身與抽身，都是自救。

09

常常心存感激，常常感激從少年時代就養育我的精神之師，感激荷馬、但丁、莎士比亞和托爾斯泰，感激陶淵明與曹雪芹，感激莊子與慧能，感激魯迅與冰心，感激一切給我靈魂之乳的古今思想家、文學家和學問家，還有一切教我向真實生命靠近的賢者與哲人。感謝他們所精心寫作的書籍與文章，感謝它們讓我讀了之後得到安慰、溫暖與力量。還心存感激，感激讓我衷心崇仰的藍天、星空和宇宙的大潔淨與大神秘，感激現實之外的另一種偉大的秩序、尺度與眼睛，還感激從兒時開始就讓我傾心的近處的小花與小草，遠處的山巒與森林，還有屋前潺潺流淌着的小溪和它的碧波。所有這一切，都在呼喚我的生命和提高我的生命，讓我時時都對他們懷着永遠的謝意與敬意。

10

無論時光如何流遷，童年的記憶總是那麼清晰，對於兒時躺臥過、作夢過的草圃的記憶，總是壓倒高樓大廈的記憶。基督的信仰者說良知是對上帝的記憶，而我的良知則是對於童年的記憶。搖籃、慈母、荷塘、清溪、在貧窮中掙扎的鄉親父老、在父老兄弟臉額上滾動的汗水、落下又被撿起的麥穗、一碗稀飯與一碟蘿蔔乾的早餐，所有的記憶都壓倒掌聲、頌詞與桂冠的記憶。尋找故鄉，正是尋找與搖籃相連相疊的一切，尋找那一份情感，那一份素樸，那一份與財富權力無關的赤誠與暖流。

11

在海外十二年，一直覺得自己的靈魂佈滿故國的沙土草葉。這才明白，祖國就是那永遠伴隨着我的情感的幽靈，並非那個冷冰冰的國家機器。無論走到哪裏，《山海經》、《道德經》、《六祖壇經》、《紅樓夢》就跟到哪裏。原來祖國就是圖畫般的方塊字，就是女媧補天的手，精衛填海的青枝，老子飄忽的鬍子，慧能挑水的扁擔，林黛玉的詩句和眼淚，還有老母親那像蠶絲的白頭髮。祖國不是盯梢着我的眼睛，不是吆喝我的喉嚨，不是歪曲我的報紙與雜誌，不是禁止我說話的流氓與惡棍。他們永遠不理解我靈魂中的那片如茵的綠草地，還有在草地上飛翔的蜻蜓與蝴蝶。

12

在彼得堡的托爾斯泰墓前徘徊後，我用雙臂摟抱偉大的靈魂。那一刻，我想起賀德林在柏拉圖的墳墓之前對早已安息的偉大哲學家說：「父親，祝福我！」托爾斯泰是我的精神之父，從少年時代起我就遠遠地望着他，然後就讓他的心靈像太陽那樣照耀着我。此時，我本能地借用賀德林的語言說：「父親，祝福我。」我點起心香，祈求偉大的靈魂不要拋棄我，別讓我離開善的內心，別讓濁泥世界的腐敗空氣進入我的血脈，祈求他提醒我永遠拒絕流氓邏輯而追求高尚，祈求他在反暴力的永恆呼喚中，放入我的名字與聲音！祈求他幫助我保留降臨人間那一剎那所擁有的柔和的孩子的目光。

13

在倫敦西敏寺的那個瞬間，意識到腳底板下，埋葬着牛頓、達爾文、狄更斯等巨人，每個名字都讓我激動得難以自禁。沒想到，竟能贏得這樣一個時刻，讓我和這些偉大靈魂靠得這麼近。過去只是在書本上與他們相逢，今天卻在他們的故鄉相逢。尋找的價值，漂泊的價值，就在此時此刻得到最高的肯定，這是偉大靈魂的肯定。倘若不是漂泊，一個中國的農家子的腳底板怎能走到這裏，怎麼可能在偉大靈魂的耳邊悄悄訴說。有了這次相逢，腳步又有了新的規定，我感到，太陽就從我的腳底板升起，生命又一次聽到黎明的呼喚。不錯，在此偉大靈魂之前，我們還有什麼恩仇、心中的陰影不能掃滅，還有什麼得失不能放下？

14

從不對人說「我的心只屬於你」，包括不對自己的愛人說，也不對自己的祖國說。我的心，不屬於任何一個人，任何一個群體，任何一個國度，它隸屬於人類史上那些偉大的靈魂，但也隸屬於大地上最平常最質樸的靈魂。既屬於長江黃河，也屬於洛磯山與阿爾卑斯山，既屬於活着的人，也屬於死了的人。有許多死者，生前是我的導師與朋友，他們去世後，我心靈的一部分，顯然也跟着走入另一個世界。因此，我的心既屬於此岸，也屬於彼岸，既屬於可視的大曠野，又屬於不可視的大混沌與大明淨，包括天外那宇宙的大明淨，我的心常被神秘的美抓住。

15

嵇康的「外不殊俗，內不失正」，一直是我的座右銘。嵇康是屹立於中國大地的人格豐碑，他「外不殊俗」，所以才不擺架子，不裝腔作勢，不故作高深。也才尊重世俗社會慾望的權利與承擔社會的責任，從而不同於自命清高的隱君子。而他的「內不失正」，則是在入鄉隨俗之時不失心靈原則，不失道德邊界，不投機取巧。世俗社會的誘惑太多，物色聲色酒色紛紛把人引向邪門歪道，倘若沒有原則，便會同流合污。嵇康處污泥而不染，面對權勢者而頂天立地，正是內心深處堂堂正正，坦坦蕩蕩。

16

火的姿態是向上燃燒的姿態，水的姿態是向下流淌的姿態。以往喜歡把生命比作一團火，今天則喜歡生命只是一脈水。順其自然，飄逸而下，能流到哪裏就到哪裏，不必去爭取什麼火紅的人生。水透明，水柔和，水的姿態是低姿態，往下流淌的姿態，但又是朝向大海行進的姿態。老子崇尚水，認定至柔可以戰勝至堅，水的克服與征服，不是去衝撞大山，而是沿着大山腳下努力往前走，一直走到大海跟前。

17

黑格爾說凡是存在的都是合理的。可是，許多聖人聖賢卻只承認婚姻的合理性，不承認情愛的合理性：只承認宮廷妻妾成群的合理性，不承認民間私情的合理性。釋迦牟尼、基督開始做的事被認為不合理，中國原始時代精衞填海、夸父追日的故事也被認為不合理，知其不可為而為之的努力總是難以得到合理性的確認。曹操借王垕的頭以定軍心，在戰爭的層面上是合理的，在生命尊嚴的層面上是不合理的。慾望在歷史主義的層面是合理的，但在倫理主義層面卻不合理。相信「造反有理」就難以相信社會秩序有理。也許黑格爾也看到這種種矛盾，所以才有「凡是合理的都是存在的」的反命題。我們必須在黑格爾的命題之後加上的命題應是：凡是活生生的生命與生命現象，都不可用哲學命題去裁決，更不可用絕對精神去解釋。

18

莊子在兩千多年前就寫出〈齊物論〉，闡發萬物齊一的平等觀。人與人平等，人與物平等，物與物亦平等。萬物有靈，莊周有靈，蝴蝶也有靈。兩者互夢，也互為靈魂。大夢中肉體消解，生理界線消解，世俗的等級、尊卑、大小等界線也消解。在靈魂的意義上，萬物相通、相依、相似、相關，相互構成一個美麗的世界。莊子去世兩千多年後，追求人性詩意本質的德國大詩人賀德林又暢說萬物齊一的思想，他說：「我將存在，我不問我成為什麼。存在，生命，這就夠了，這是眾神的光榮；為此，在神性世界中萬物齊一，只要是一個生命，這個世界裏就沒有主僕，像相愛的人，自然的元素生活在一起；他們共同擁有一切，精神、歡樂和永恆的青春。」[1] 賀德林也許沒有讀過莊子的書，但大夢相通。也許賀德林就是莊子遙想的蝴蝶，也許莊子是賀德林長思的「眾神」之一。空間相隔一萬里，時間相隔兩千年，然而人類嚮往打破尊卑、主僕關係的夢沒有停止。生命尊嚴與人格平等的夢，永遠富有詩意。夢相通，是人類詩意棲居於地球的終極嚮往相通。

19

剛到海外總是彷徨，彷徨之後如今不再彷徨了，因為終於意識到：文化就在自己身上，家園就在自己的筆下。無論走到哪裏，筆也帶到哪裏。筆下就是我的根，筆下就是永恆的故土。與回到家中就感到溫暖與安寧一樣，一回到筆下，就像踩到田園與鄉野，就像見到親人與故人，就像見到從女媧精衛到賈寶玉林黛玉

1 荷爾德林，戴暉譯：《荷爾德林文集》，（北京：商務印書館，1999），頁 140。

這些家園中的兄弟姐妹。尋找各種意義的故鄉，發現最具體的故鄉是自由抒寫的筆下。這一發現常使自己激動不已。

20 辭國十年後，才感到漂流使自己得救。這不僅是漂流把我從名利的廢物堆裏拔出來，而且使自己明白，在母親完成她的「創造生命」之後，我的使命便是「開掘生命」，包括此時敢說已經得救，就因為意識到一切都要「自救」。此一意識，使我得大自在，又得大力量。古希臘神話英雄安泰的力量來自大地母親的擁抱，而我則意識到力量來自我從母親懷裏站立起來的一刹那。母親廣闊胸脯上坐着等待救援的億萬兒女，她是忙不過來的。何況她的使命已經完成，留待我們的應是無愧於大地母親的自我完成的使命。

21 囚徒走出牢房，沒有人理會他，像帶瘟疫細菌的病人，社會迴避他。但是，當他走進山間河谷，就會發現，那裏的花草樹木照樣歡迎他，啼鳥與蝴蝶照樣為他翔舞，無論是天上高飛的生命，還是地上走動的生命，都不會拋棄他。大自然沒有勢利的眼睛。它是人類最可靠的朋友。也只有穿越過牢獄的囚徒，才知道每一棵綠樹、每一條小路、每一片雲彩、每一道陽光、每一縷清風、每一脈泉水、每一聲鳥啼的價值，哪怕是荒原、沙丘、廢墟，也都像兄弟的家園。

22

金庸小說《笑傲江湖》主角令狐沖，特立獨行，超越正教、邪教兩大營壘的單向立場。他是所謂正教（五嶽派）華山派岳不群的弟子，可是，又與邪教（日月神教）中人交朋友。他既愛岳不群的女兒、師妹岳靈珊，又愛日月神教教主（任我行）的女兒任盈盈。他想超越生死對峙的兩大陣營而吸收雙方武功的精華，但兩派的首領都不允許他如此選擇。他的功夫高強，兩派頭目既想拉攏他又想殺害他。最後他和任盈盈遠離江湖，隱居在山林裏共同彈奏天下的絕唱《笑傲江湖》。這種人跡罕至的深山叢林裏，是兩極對立之外的第三空間。這正是知識者和一切孤獨者的寄身之地。可惜現代社會把這一空間也加以掃蕩，於是自由心靈更是無處存放。「令狐沖處境」，是中國知識分子彷徨無地的典型處境。

給令狐沖以自由，給令狐沖以第三空間，這也是蒼穹的呼喚。

23

五四啟蒙者審判了父輩文化，宣佈其「吃人」大罪，判處了父親的死刑，但還留下了「大地母親」，這就是社會底層的工農大眾。啟蒙家們喚醒了母親，並從母親的懷抱中得到力量，補充了「喪父」的虛空。擁抱工農，知識分子真的走出了一條路。但今天時代轉入以財富為中心，大地母親被推向邊緣，知識分子又面臨「喪母」的危機。聰明的知識人早已把富豪和權勢者認作「衣食父母」，顧不得其他，唯有孤獨的思想者還在緬懷天空與大地，並為此彷徨。

24

杜斯托也夫斯基的小說《卡拉馬助夫兄弟們》有殺父意識，但它蔑視的父親不是天上的大父親（神），而是地上的小父親（沙皇），對「天父」還是始終心存敬意。俄羅斯的靈魂，幾經洗劫，至今仍然不死，就因為還有這一層敬畏。我國「五四」文化革命，也有殺父意識，可是，謀殺的父親不僅是父輩文化，還有「反科學」的「天父」宗教文化，於是，中國知識人便從此沒有地上之父也沒有天上之父，既沒有傳統道德的支撐，也沒有宗教情操，變成徹頭徹尾的孤兒。

25

如果沒有被放逐，就沒有屈原；如果不當「逋客」，就沒有杜甫：如果沒有告別宮廷，就沒有李白；如果不被流放到南方的天涯海角，就沒有如此豐富的蘇東坡。在俄國，如果沒有到西伯利亞當過囚徒，恐怕就沒有杜斯托也夫斯基；如果沒有從俄國流亡到美國，就沒有納博哥夫的《洛麗塔》，更有趣的是，托爾斯泰本在大莊園裏活得好好的，臨終前還自我放逐。作家詩人在本質上都是流浪漢。即使沒有身軀的流浪，也會有心靈的流浪。莊子作〈逍遙遊〉，便是靈魂的大流浪。作家詩人的生命本質不是固定點，而是自由點。流浪下去，尋找下去，蒼穹又一次對我呼喚。

復歸嬰兒

26 《伊利亞德》與《奧德賽》這兩部產生於古希臘的史詩，一直激動着歐洲、亞洲、美洲，以至整個世界的心靈，至今魅力不衰不滅，就因為它概括了人類活動的兩種基本經驗模式：一是出發；二是回歸。《伊利亞德》是出發，出發去征戰，去搏鬥，去立功，去尋找美和奪取美，去嘗試生命的可能。二是回歸，人在征戰之後一定要回歸，回歸自己的情感家園，回歸嬰兒狀態，回歸人生的本真與本源。兩者缺一不可。出發去爭取人生意義很難，戰勝慾望回歸童心、回歸純樸與安寧也很難。

27 老子說：「大制不割。」什麼是大制，宇宙是大制，地球是大制，這是眾所周知的。但嬰兒是大制，卻常常被忘記。孩子一降生就是天然大制，這是自然形成的生命整體，與天地形成之初的狀態一樣混沌圓融。後來人掌握了知識，頭腦生長了，但生命卻蒙上各種塵土，而且覆蓋層太厚。生存壓力下，生命變形，變質，變態，變成機器，變成技術，變成商品，變成工具，變成傀儡，變成傳聲筒，變成槍手，變成奴才，變成老狐狸，變成僵屍，變成碎片。碎片是混亂的多元。此時，人要自救，有一條大道，就是返回生命的原點。嬰兒就是原點，嬰兒就是一元的生命，嬰兒就是不割不分裂不破碎的宇宙大圓融。

28

回歸嬰兒，於我有兩個向度：一是回到從母腹中誕生下來的那一瞬間，回到剛來到人間時的那一種柔和的目光；二是回到故國文化的精神本源，回到《山海經》所負載的最本真、最本然的文化。我的形而上假設，不在天上，而在地上，在第一次張開的眼睛之中，在母親賦予的原始混沌之中，在精衞、女媧等英雄的美好天性之中。修煉修煉，不是修向成熟，而是修向鴻濛時代的天真。有天真才有自由。言語從內在的心性裏流出，該說就說，這才是自由。世故之人說什麼都從關係出發，還沒有發出聲音就受到他人的制約，發了聲音還要考慮別人的「反應」，這哪裏還有自由。東西方的學者都在尋找自由的真理，而我找到的是一個自由的前提，這就是天真，這就是赤子心腸。

29

中國人常常忘記中國人：忘記本真、本然的中國人，忘記《山海經》時代的中國人。這個時代的中國人是最可愛的中國人，是未被權位、權術、金錢、名聲、概念、知識所污染的中國人。這時的人雖然簡單、幼稚，卻是沒有心機的赤子。這是中國人的原始版本。這種原初中國人被現代的中國人忘記了。閱讀《山海經》正是為了還原中國人，推動自己成為本真本然的中國人。老子的《道德經》呼喚「復歸於樸」、「復歸於嬰兒」，就是復歸於《山海經》時代的那一片天真天籟，赤子情懷。

30 曹操引用《論語》中的話評價謀士荀彧：「外柔內剛，外怯內勇，外愚內智，其智可及，其愚不可及。」聰明處容易學，它畢竟是頭腦的功能。愚魯處難學，因為它屬於天性，屬於心靈，屬於生命本能。智者的愚魯，是大智慧中的混沌。混沌境界，是智者背後還有一片天真與耿直。慈悲也是一種不知算計的混沌。曹操是大智者，他知道卓越的天性難以摹仿，知道人有一種從母親那裏帶來的天賦的本能，這種本能不可複製，尤其是精神本能。

31 在生命走到盡頭的時候，瞿秋白在獄中作了一次長長的獨語，那是他「最後最坦白的話」《多餘的話》，他說他在過去的十五年中，時刻扮演着某種角色。手裏做着這個，心裏想着那個，沒有餘暇和可能說出自己的心思，只有現在，只有在獄中，只有在被解除了面具之後，他才可能獨自寫下內心的話了。不必扮演什麼角色，無需把自己規定為學者、作家、革命者、持不同政見者等模式化的客體，扔掉一切頭銜和假相，只剩下真實的自己，唯有此時才能發出自己的聲音。瞿秋白生命最後的覺醒是大覺醒，從政治舞台回到精神家園中：「回家去吧，回家去吧」，這是瞿秋白的夢想，也是他留給我們的勸告。

32 中國文化最精彩、最深刻的部分，幾乎無須用語言形態表達。《山海經》最核心的精神，只凝聚在若干意象上，女媧、精衛、夸父、刑天，都是意象，不是語言。《道德經》是被迫用文字表述的。但它一開始就聲明可以用語言表述與命名的，並非最偉大的精神與真理。「道可道，非常道」，不言是最高的言，不可命名的名是最高的名。最深廣的對象無法用概念去涵蓋。老子視「不知道」為最高的「知道」，這與康德的物自體不可知相通。《六祖壇經》和整個禪宗，也是對語言的懷疑和警惕，所以它「不立文字」，以感悟代替敍述，最關鍵的部分均不用語言表達，只用公案故事去啟迪人們明心見性，直逼要害。

33 《易經》似乎也可稱為場論：由「易」與「不易」構成宏觀精神場，由「陰」和「陽」構成的宇宙場與生命場。《易經》又是中國古代的相對論，與愛因斯坦相通，但它是沒有完成也可能是永遠無法完成的相對論。《易經》中的「太極」是不可道之道，不可名之名。太極中最偉大的部分是「不易」的。「不易」派生出「易」。「易」是現象，「不易」是本體。上帝是不易的。不易為永恆永生，易則瞬息萬變。天賦的「生」之大德和人之權利是不易的。現代人類太強調「易」，強調變，強調革命，忘記維繫人類社會與大宇宙那些永恆不變的部分才是根本。文學中不可易的部分是人性的訴求，是生命的尊嚴，是善的內心，是美的感覺與美的境界，偉大的作家畢生都在朝着不易的永恆靠近。

34 玄奘創立的佛教唯識宗，以闡明「萬法唯識」為宗旨，把「識」強調到極端。又以分析法相人手，以表達「唯識真性」。可惜過於玄奧煩瑣，不容易被人所接受，終於三傳而衰，它留下的思維教訓是太煩便沒有長久的生命力。（中國現代哲學也有太煩瑣則難以走入民間的思維教訓，如金岳霖先生的形式邏輯學。）禪宗的產生，尤其是慧能的產生，恰恰是由繁而簡的「革命」，它從「繁」的語境中誕生，走向另一極便是簡。它的成功是放下概念，放下分析，放下教條，直指要害，結果產生了經久不衰的影響。老子所說的「復歸於樸」，慧能是個典範。

35 老子出走，路經函谷關時，被關卡小吏關尹喜扣留了。關尹喜不是為了勒索老子的錢財，而是要把老子留下來講學，為他寫下講義或文章。那個時代，一個類似今天「海關」關長的小官員，竟然把學問、文章看得如此貴重，不能不讓我們驚訝。關尹喜想敲老子一筆，這一筆竟然是在今天被許多人看不起的道德文章。老子如果在現代社會裏還這樣過關，誰還會稀罕他的思想文字呢？《道德經》算得了什麼，恐怕各個關卡要的都是錢。只是二千多年，中國的價值觀變化如此之大，退化如此之快，真讓人感慨「今不如昔」。

36 在中國歷史上很難找到沒有勝利快感的帝王與將軍，認真想一想，似乎只有周武王。他推翻商朝、建立周朝之後立即宣佈刀槍入庫，馬放南山。沒有一番慶功與狂歡。老子在《道德經》中給戰爭勝利者宣講一種道德：你不得已而戰爭，戰爭勝利了，你不要有勝利者的快感，而應當有哀傷感，要以葬禮的方式對待勝利。這與現代的勝利者一勝利就開慶功大會、就造凱旋門很不相同，與武松在鴛鴦樓上殺了十八個人之後還那樣快活也極不相同。法國巴黎的凱旋門一直被人們瞻仰、禮讚，人們在那裏不僅有快感，還有自豪感。但在精神水平上，老子的思想高於凱旋門體現的思想。

37

中國遠古時代的英雄手上沒有血，女媧手中是泥土，夸父手中是巨杖。後來中國的英雄手上沾滿血，包括革命英雄李逵、武松等，手上全是血。世界上有許多英雄如甘地、馬丁·路德金等，手上也沒有血，不像史太林和波爾布特，手上全是血。中國遠古的英雄口中也乾淨。精衛口裏含的是樹枝，後來中國的英雄口裏全是鐵牙齒，當下的鐵牙齒就是語言暴力，慷慨陳詞中嘴裏也是血。

38

周武王打倒殷商王朝之後沒有血洗宮廷，沒有牽連皇親國戚臣子，甚至還封紂王的兒子武庚為一方諸侯（武庚後來謀反應自己負責）。伯夷、叔齊認定周武王違反王權更替的遊戲規則，拒絕支持他的勝利，他也不計較。武王似乎意識到使用暴力並非上策，於是勝利後很快就刀槍入庫，馬放南山，還去拜訪紂王的叔子、當時的大賢箕子，向他請教，這才有《尚書》中的「洪範九疇」。這個時代沒有牽連株連此類滅絕人性的野蠻之舉。中國人愈來愈聰明、愈有知識之後，才有「株三族」、「滅九族」這類血腥遊戲。說歷史愈來愈「進步」，從工具工藝層面說是對的，但從人心人性層面上說，則大可質疑。

39

《山海經》是中華民族童年時代集體的大夢。夢見女媧補天，夢見精衛填海，夢見夸父追日，這是最本真、最有活力的夢。《山海經》說明，中華民族有一個健康的童年。不僅是身體健康，而且是靈魂健康。《紅樓夢》開始就講《山海經》，就緊緊連接《山海經》，《紅樓夢》是中華民族成年時期的大夢，這是關於自由的夢，關於女子解放的夢，關於自己成為自己的夢，關於詩意生命與詩意世界的夢。《紅樓夢》是中華民族現代夢的偉大開端。《紅樓夢》說明，中華民族近代的大夢也是健康的！德國詩人賀德林嚮往「人類應當詩意地棲居在地球上」，中國的偉大作家與德國的偉大詩人，其大夢的內涵相似。

40

《山海經》中記載的神話故事，總是讓我們感到太少。那個原始時代沒有人去刻意記錄，這種故事只是和山山水水一樣自然留下，自然地歷經一代一代的風霜雨雪而留在民族的集體記憶裏。因為不是刻意記錄，所以更顯得猶如嬰兒般的真純。《山海經》特別寶貴，它是中華文化的原汁，中國人的原血液，因此也可以稱「山海經文化」為中國的原型文化。斯賓格勒在《西方的沒落》提出過「偽形文化」的概念，中國文化何時發生「偽形」，尚需討論。但《山海經》沒有任何偽形，卻不容置疑。中國的長篇小說，《紅樓夢》、《金瓶梅》是真實的，《三國演義》卻是偽形的巨制。

41

都說現實是真，夢是假，我卻在夢中感到生命的真實和現實的虛假。我的天真、我的嚮往和整個未被概念瓜分的生命都保存在夢中。夢中我沒有虛禮，沒有客套，更沒有灰色的語言，連聲音都沒有。夢裏的我，常常是個啞巴，只用眼睛的光亮訴說一切。莎士比亞的《仲夏夜之夢》保存着人類最純真的愛戀與追求，最純真的誤解與歡樂。少年時以為莎士比亞的戲是虛構的，以為教條所描述的世界和現實的世界是實在的，如今倒轉了過來，知道假的東西全在夢境外的權力世界與繁華的地表上。

42

傑克·倫敦的《野性的呼喚》，我到了美國之後才讀懂。這位偉大作家早就預感到大地上生命活力正在消失。在美國，幾乎家家都豢養寵物，可是，不管是貓還是狗，均野性全無。它們本是大自然的一部分，現在全變成玩物，變成人工世界的產品與消費品。有些狗長得像小獅子，可性情卻溫順得像小雌貓，膽子比兔子還小。現代社會的技術、金錢和百無聊賴的空氣，不僅剝奪了動物的野性，而且也正在改變人類的個性。人類在機器面前正在變成另一種東西，這種東西大約可稱為「類似無機體的有機體」。

43 《復活》的主人公聶赫留道夫可視為托爾斯泰的精神化身。這位上層社會的貴族，他的靈魂是什麼時候開始復活的？托爾斯泰告訴我們：是在一個被他損害的妓女面前跪下的瞬間開始復活的。在跪下的一刹那，他突破虛偽的面具，人性從沉睡中覺醒，良知重新回到他的生命之中。他在瞬間中體認了自己的罪，知道自我拯救並非抽象，拯救之路的起點非常具體，起點就在一個被他所傷害和被社會所唾棄的小女子的腳下。淪落風塵的女子，此時就是他的靈魂的審判者和拯救者，他要聽從她的呼喚。

44 從倫敦出發，驅車六個小時，來到莎士比亞的故居。這是我一生中最神聖的旅行，在故居的閣樓上，我排了長隊，然後鄭重地簽署下自己的名字，一個東方朝聖者的名字。這是我人生最莊嚴的時刻。這個小閣樓產生的天才，開闢了我的人生形式，賦予我一個全新的開始。文學的初戀，文學的信仰，對文學的如癡如醉如癲如狂，就從這個天才的名字與戲劇開始。時間開始了，文學開始了，詩意人生開始了。從此心靈壓倒一切，從此人性壓倒一切，從此生命大門敞開着去迎接人類清新的氣息。簽字時，我覺得自己的手和身體都是熱的，從這個房子誕生的偉大靈魂，每天都在幫助我和太陽一起從黑暗的壓迫中升起。此時，充斥內心的感激的話化成一句：我多麼願意用鮮血換取你偉大人生的一個瞬間。

45 《山海經》中的神話英雄刑天，腦袋被砍掉之後，便以雙乳為目，繼續戰鬥，所以陶淵明稱讚「刑天舞干戚，猛志固常在」。然而，歷來的刑天禮讚者都沒有發現，刑天實際上有兩個頭顱，一個是肩上可以看得見的外部頭顱，一個是身內的肉眼看不見的頭顱。身內之頭便是打不死的靈魂。外部的頭被砍掉了，內部的頭還在，它還會長出新的眼睛，靈魂的眼睛不會死。人間的真英雄都有一個內在的不可消滅的高傲的頭顱。

46 七十年代末和八十年代初，中國的作家集體嘔吐，創造了傷痕文學。那時的眼淚不是流出來的，而是嘔吐出來的。薩特認為噁心是走向自由與超越的第一步，它像自由的號角和警鐘，召喚人們去開闢一個與現實社會相反方向的世界，因此，有噁心感的人是幸福的。因為嘔心者對醜惡有一種特別的敏感，能把醜惡及時從自己的生命中清除出去。人的生命不再淤積荒誕時代的垃圾與濁物，便有大快樂。

47

在物質文明的層面上，人不斷在進化，但在精神層面上卻常常在退化。孔子在孔子的時代地平線上，並非精神的高峰，他在《論語》中所講的那些道德原則並不是高不可及的原則。但是到了現代，由於整體道德水平的降落，這些原則便成了高山峻嶺，本是教師爺的孔子也就成了聖人。孔夫子的地位往天上飛升，是因為後人的精神水準往地下沉淪。了解這一現象便可解釋：為什麼當年的孔子是謙卑的，而現在一些研究孔子的儒學家卻趾高氣揚。

48

古代社會沒有那麼多的誘惑，也沒有那麼多色相的刺激，人容易單純，人格容易完整。現代社會則到處是誘惑，連兒童圖片也帶着那麼多刺激與色相。於是，現代人的生命變得支離破碎，快樂的瞬間變得又少又短，一旦有了一點快樂時光，便搶着使用，連快樂也不從容。地球犯了繁榮的浮腫病，它改變了外部自然，也改變了人的內心自然。當今新哥倫布的使命，已不是發現新大陸，而是發現內心那一片未被商業潮流捲走的生命原野，那裏還有殘存的草木的清香和明麗的格調。

49

虞愚老先生，晚年和我是忘年之交。他研究了一輩子佛學與因明學，生前一再告訴我：佛學是教人自由的真諦，其要點有三：第一是放下；第二是放下；第三還是放下。我問他，這是否可以解釋為第一要放下功名，第二要放下利祿，第三要放下權勢慾望。他說這些自然是要放下，但這只是第一步。他還贈我六個字：

「不將迎，不內外。」但未作闡釋。後來我讀《莊子》時才知道這是「至人」境界，莊子在〈應帝王〉篇中說：「至人之用心若鏡，不將不迎，應而不藏，故能勝物而不傷。」鏡子光明磊落，對來者不迎不送，來留相，去留影，任其自然，不懷任何私意，也不講什麼內外有別，更不內藏心機心術。能夠表裏如一，才有身心透明，也才真誠地從內裏放下該放下的一切。

50

竹林七賢中年齡最小的向秀，一直熱愛嵇康和追隨嵇康，嵇康生前在樹下鍛鐵，他就是那個拉風箱的小夥伴。嵇康被司馬昭殺害後他本隱居不出，但後來迫於政治高壓，不得不應徵出仕洛陽。入洛途中，他特別繞道到嵇康的山陽故居去拜謁日夜緬懷的偉大亡靈。目睹往日的草木瓦礫，思念肝膽相照相依的舊情，傷感到極點，寫下了痛徹肺腑的輓歌《思舊賦》。在向秀生命深處，嵇康不是一個朋友，而是他的靈魂和他的整個世界。這個人走了，整個世界也消失了，留下來的只有瓦礫和永恆的大空寂。在刻骨的懷想中，他朦朧地聽到淒清的笛聲，就彷彿見到不屈的歌魂。然而，幻象不僅不能安慰他，反而讓他感到揪心的大孤獨。這種向秀式的悲絕的瞬間，我也曾體驗過：一個全心靈護愛自己的朋友死了，世界跟着灰掉了。大空寂中軀殼還活着，卻像行屍走肉，內裏空蕩蕩，外邊白茫茫一片真乾淨。

51 愛因斯坦站立在科學的最高處，但他承認有比他更高的東西。托爾斯泰、杜斯托也夫斯基站在文學的最高處，也確認有比自身更高的東西。承認有比自己更高的東西，才有向上提高生命的渴望和繼續往高處探求的熱情，也才有敬畏這一永恆的道德基礎。中國的帝王們雖然都有惡劣的故事，但還是承認有比自己更高的東西，這就是神秘的「天」。天意構成一種壓力，對權力無邊的獨裁者構成一種制衡。可是現代的徹底唯物主義者，完全不承認有比自己更高的東西，所以就自負自戀自大，動不動就瘋狂，霸主心態超過往昔的帝王。徹底唯物主義導致徹底的流氓主義，原因全在於此。

52 古往今來，中國大地上與世界大地上，不知走過多少默默無聞的偉大心靈，他們默默給人類以啟迪，默默給人類奉獻一生，但沒有留下名字。他們創造過功勳，但不知「功名」二字，這一基本歷史事實告訴我們，衡量人不能僅僅觀其文章技巧的高下，還應當看他們留下過怎樣的心靈。禪宗六祖慧能在默默無聞中思索，沒有文章，但他的心靈卻價值無量。正是這個不立文字的「和尚」，創造了中國智慧的偉大篇章。

53 多次閱讀歌德的兩部代表作：《少年維特的煩惱》和《浮士德》，最終才發覺，自己更喜歡前者。作為一個研究者，我知道《浮士德》分量更重，但作為一個人，我卻感到《少年維特的煩惱》更真純，更貼近我的生命。從自身的體驗中又可推知，《浮士德》似乎是歌德用大腦寫出來的，整部長詩是個偉大理念的故事，而《少年維特的煩惱》則處處散發生命氣息。難怪拿破崙在疆場上攜帶着是這部情愛小說。

54《山海經》記錄了遠古中國人的靈魂狀態，它是混沌的，質樸的，天真的，就像未被砍伐過的大森林，沒有後來的刻意的種植與排列。這個時代的靈魂，由女媧、精衛、夸父等作為象徵，雖然沒有古希臘英雄的瀟灑，但有巨大的精神力度。補天之力，填海之力，追日之力，射日之力，都是非常巨大的力量。《山海經》之美，是力的美，是「不自量力」的拼命硬幹的英雄美。《山海經》時代中國人的靈魂狀態，與委靡不振的狀態正好相反，是物質需求最少、精神卻最強大的狀態。

55逍遙遊，如大鵬扶搖直上九萬里，這是高度自由狀態，也正是靈魂雲遊的狀態。這種狀態只屬於孤獨者。孤獨者的靈魂與大自然、大宇宙直接相連，中間沒有「隔」。名利場中人，不可能擁有這種狀態，他們和大自然之間的障礙太多。中間物有概念、主義、冠冕、權力、物色等。詩人可引以自豪的，是他們能作靈魂的遨遊。詩人並非生活在空中，而是生活在內在生命的大雲層裏。生命的深處與宇宙的深處相通，那裏也是大鵬縱橫萬里的好地方。大自由全在自己的內心中。

56《封神演義》雖多荒誕，但最後還是以姜子牙加封諸神和周武王分封諸侯作為結局。魯迅評論說：「封國以報功臣，封鬼以妥功鬼，而人神之死，則委之於劫數」，「其根柢，則方士之見而已」（魯迅《中國小說史略》），這裏固然是「方士之見」，但姜子牙封神時則不僅把勝利者（周）諸臣封為神，也把失敗者的一方（商）的諸將也封為神。敵我雙方均上「封神榜」，這與後來中國人的「勝者為王、敗者為寇」的觀念大不一樣。美國南北戰爭極為慘烈，但失敗的南方統帥李將軍的故居和紀念館還完好地立在維珍尼亞國家墓園的小山頂上供人們瞻仰，勝利者並沒有對他抄家、踐踏或滅其九族。

57 無名的老百姓沒有太多書本知識和理念，更沒有什麼邏輯，但他們保留了本能感覺。花是香的，玉是美的，屎是臭的，他們會本能地確認。一九七〇年我在河南五七幹校聽一位著名哲學家談改造自己的經驗，說他最後覺得豬屎狗屎全是香的，因為屎可肥田，豐收了可以支援世界革命。如此「屎裏覓道」，並不僅僅是這位哲學家。名人的缺點正是常常丟失本能的素樸感覺，使認知也走樣。生理感覺不正常，其是非判斷就往往不如村夫野老，甚至不如天真的小孩。小孩的本真感覺，常常勝過高頭講章。

58

魯迅《鑄劍》中的小主人公眉間尺還是個孩子，可是他對仇恨已經極其敏感。一經被母親提醒，就立即踏上了復仇之路，而且為復仇毫不猶豫地削下自己的頭顱。徹底的復仇者是不考慮任何代價的，也不考慮輸贏，只想消滅對方，丟了頭也在所不惜。眉間尺固然勇敢，但他對仇恨的敏感卻常讓我害怕。倒是余華《血劍梅花》中的少年阮海闊讓我感到輕鬆一些。阮氏少年，是另一個眉間尺，但他卻是一個對仇恨缺少敏感的眉間尺，一個模糊了「敵人」概念的眉間尺，一個不再為父輩鬼魂而拋頭灑血的眉間尺。

59

走出家門國門，到地球的四面八方看看，除了發現大千的雄偉與人類的創造奇觀之外，還有一條重要的發現，就是發現自己在家門國門裏其實乃是「井底之蛙」。這一發現，不僅使自己感到慚愧，也使自己激動不已。以往身在井中而不自知，如今知道了，明白自己是「井底之蛙」，這才贏得新起點。打破井蛙的眼界，便是自救。沒有眼睛的覺醒，不會真有思想的覺醒。眼睛擁有整個天空大地之後，自身的解放道路才充分展開，生命才又重新啟程。

歷史記憶

60 中國北方野蠻的遊牧民族對中原及南方的入侵，其踏踏的馬蹄產生一種歷史效應：把中華民族的注意力引向對「國家興亡」的格外敏感，而忽視對「個體生命」的關注。金元和滿清王朝的罪孽不在於其統治者是少數民族，而在於它打斷了宋代和明末剛剛生長起來的人間真性情，以致至今中國人還常常忘記自己可以掌握自己，也沒有學會該如何尊重人的個性和支持個人對世俗幸福的追求。

61 周武王掃平商紂王朝，統一八方諸侯，取得歷史性的巨大成功，但伯夷、叔齊不僅拒絕謳歌他，而且挺身而出，攔着他的騎兵和車隊，對他發出「以臣弒君，可謂仁乎」的責問與抗議。這個歷史瞬間和歷史行為，乃是雙重的奇跡：一是兩個手無寸鐵的知識分子敢於面對最大的權勢者說真話；二是一個威鎮四海的帝王可以允許他們說真話，允許批評自己，對其「勒馬而諫」、攔車抗議一點也不生氣。伯夷、叔齊固然了不起，周武王也很了不起。這一幕，是中國歷史精彩的一頁，又是中國古代文明的偉大詩篇。

62 孟子留給中國人最寶貴的精神遺產是教中國人如何面對苦難、面對幸福和面對壓迫。苦難中高潔的品格不能改（「貧賤不能移」）；幸福中不能陷入荒淫無恥（「富貴不能淫」）；權勢壓力下則要挺直人格的脊骨和保持人的驕傲（威武不能屈）。可是我們當今的中國人好像既不懂得如何面對苦難，也不懂得如何面對幸福。在階級鬥爭的黑暗歲月裏，只知道互相揭發互相摧殘，從而加劇了苦難；在繁榮富裕的今天，則慾望無限膨脹，讓金錢麻醉全部神經，甚至連做人的心靈原則都沒有；至於在權勢面前，多數的世相則是馴良的羊相和卑微的奴才相。

63

嵇康明知孤傲會給他帶來危險，但他還是絕對孤傲。大司馬鍾會拜訪他，他只要敷衍一下就可以當個朝廷命官，享受榮華富貴，但他偏不敷衍偏要孤傲到底，對面前的大官僚，連眼珠也不轉過去。他把心靈的自由看得高於一切。其孤傲堅守的正是這一點自由，無論是壓力還是誘惑都不能剝奪他的自由。他終於走上斷頭台。臨刑前所彈奏的《廣陵散》，彈出了自由的千古絕唱：為了贏得「自由生命」，寧可拋棄「自然生命」。

64

春秋戰國時，諸侯爭雄爭霸，渴求人才，急需智慧的頭腦。於是，諸子南北穿梭，十分繁忙，連孔子也坐着牛車到處奔波顛簸。在風雲變幻的時代裏，只有老子坐在圖書館裏，安靜得像棵老樹，根鬚直插地底深處，一點也不浮躁。老子的特殊之處是擁有一種精神定力。這是不被世事滄桑浮沉所影響的力量，是榮辱不進、得失不計的內在力量。有這種力量，才有《道德經》的無限重量。

65

基督的偉大是用他自己的生命造成的，而不是靠戴在身上的桂冠名號造成的，更不是靠前人的遺產造成的。他的光輝是從苦難的十字架上發出來的，而不是從權威的面孔上發出來的。他具有最深刻的善的內心，這便是良知，但他從來也不宣稱自己是社會良心。他只是默默地擁抱無助的底層，和他們共同承受苦難。他顯然知道，良心一旦標準化、權威化為「社會良心」，這良心就會蛻化為指揮他人甚至侵犯他人的權力。凡自稱「社會良心」者，其良心均可打個問號。凡自稱自己的作品為「經典」、「典籍」者，一定是話語權力的狂熱追求者。

66

亞歷山大大帝從西方打到東方，到了印度時發現一個智者一直在原地跺腳。當他派人去問「為什麼」的時候，智者說：你即使征服整個世界，最後能得到的也只是腳下這一點點。智者在啟悟征服者：你的慾望可以無限膨脹，但你的佔有註定是渺小的有限空間，即使你征服了地球，也只是征服了宇宙大恆河中的一顆沙粒。

67

在老子看來，人對歷史責任的承擔應是無言的。重擔在肩，不求頌歌伴奏。做了好事，自己不說，默默承擔，這才算是真的有德。有人掉到水裏，你去救援，只覺得這是應盡的責任，心裏只感到快樂，沒想到光榮，也不覺得是美德，這才算是德行。老子對那種僅以言說去承擔歷史責任的人是不信任的。滔滔不絕，表現的卻是一個淺薄的自己。《紅樓夢》裏的賈寶玉就是一個默默承擔罪責的人，他從不宣揚自己做了好事。

68 華盛頓、傑佛遜、林肯等名字能夠成為美國人共同的心靈，並不是憲法和其他文件所規定的，也沒有任何宣傳機器告訴人們必須這樣做。它完全是美國人民自願的選擇，完全是這些大心靈本身的魅力，任何時間的激流和社會的風浪都無法沖淡他們的魅力。二十世紀人間的爭戰空前激烈，反對美國的聲音非常強大，但是，我卻聽不到攻擊華盛頓、傑佛遜、林肯的聲音。在圖書館裏，我蓄意尋找挑釁這幾位偉人的文字，結果非常困難。在困難與毫無所獲中，我得到了一種新的感悟。

69 上帝的無形之手本是無限溫柔的，他對人的心靈總是輕輕撫摸着。但二十世紀一開始就宣佈上帝死了，於是，人類中的一些梟雄便以鋼鐵的手臂來取代上帝的溫馨之手，他們以為自己的手可以扭轉乾坤，不僅可以握住整個地球，甚至可以握住所有人的心。他們是人類的一群精神侵略者，總是干預他人心靈的主權。這些妄圖取代上帝的梟雄的手指，每一根都是帶毒的皮鞭。二十世紀之中無數知識者心靈感到疼痛，就因為有這些梟雄貪婪的手指在起作用。

70

有一位著名的「儒家大師」，說他在文化大革命中最不能接受的是與一個妓女同台被批鬥。他學孔尊孔了一輩子，卻不知道妓女也是人，也是被污辱、被損害的無辜姐妹，「四海之內皆兄弟」的神聖命題也應當屬於她。每個個體生命都是平等的，都應當以「仁」相待。《聖經》裏講路人給妓女丟石頭，基督立即制止了他們。大知識分子常常修了一輩子學問，不僅不懂得「仁」為何物，甚至還不如一個老頭老太太明白普通事理。這原因就是語障，也可說是觀念之障。一葉障目，一念遮心，學問也變得可笑。

71

愛因斯坦是二十世紀最偉大的科學家，當然也是最卓越的理性主義者，然而，即便是他，也還在自己的精神世界裏給上帝留下一個位置。對於愛因斯坦，問題不是上帝存在或不存在，而是人需不需要有所敬畏？人要不要承認有比自己更高的東西，確認有比人更高的東西，確認現實世界之外有一種更偉大的眼睛、尺度與秩序，才能確認人的有限性，才有謙卑，才能聽從道德的內在律令。

72

閱讀西方文學作品，從未見過有殺戮孩子與殺戮小女子的英雄。可是，中國的英雄卻有「斬草除根」的徹底性，造反復仇時，連孩子、女人也不放過，然後從中得到「徹底」的快感。武松「血洗鴛鴦樓」時殺了十六個人，連小丫鬟也濫殺。殺人不僅沒有罪惡感，而且還有自豪感。武松「血洗」之後還在牆上書寫道：「殺人者，打虎武松也！」理直氣壯。《水滸傳》中我最不能忍受的是李逵殘殺小衙內的情節。為了逼朱同上山，吳用設下毒計，讓李逵砍死由朱同照顧的滄州知府的小衙內。這個小衙內還只是個四歲嬰兒，因知府對朱同信任，每日讓朱同抱着去玩耍。可是為了讓朱同得罪上司，逼朱同就範，李逵竟奉命將小衙內的頭「劈做兩半」，這種血淋淋的英雄，至今還被中國人所崇拜。

73

水泊梁山的造反英雄們，為了逼迫「河北三絕」、「北京大名府第一等長者」盧俊義上山，使盡一切陰謀詭計。借相命而把他誘入山中，借題詩讓他陷入「謀反」冤獄，借劫刑場而進行血腥屠城，可謂無所不用其極。但因為所作所為都是在革命的神聖名義下，所以一切都是合理的，使用圈套毒計強制他人入夥，強行對人實行改造也是天經地義的。《水滸傳》的邏輯是凡造反都合理，包括使用政治圈套、政治陰謀，以及濫殺無辜也是合理的。現代社會對知識分子的改造邏輯，正是《水滸傳》的邏輯。

74

《金剛經》講佛陀心胸廣闊無邊。他被歌利王砍掉手臂，但還是原諒他，並認定唯有放下仇恨才能打破「我相」和有別於「人相」及「眾生相」。能寬容一個砍掉自己手臂的人，能原諒一個如此傷害過自己的人，還有什麼不能寬容，不能原諒的呢？所謂佛法無邊，恐怕首先是心胸無邊。佛陀如果反過來砍下歌利王一隻手臂，他也就陷入因因相報的復仇邏輯，但他拒絕這種邏輯，所以他的大心靈永遠感動着人間。

75

老子在《道德經》中感慨他的話很少有人聽（「知我者希」）。因為人們只看到他身上穿的是粗布衣服，看不到他玉石般的內心（「被褐懷玉」）。穿着粗布衣服，頭上缺少一頂耀眼的冠冕，說話便沒有人聽。這與福柯所說的權力控制語言的思想相通。世界的眼睛與耳朵是勢利的，它在一般的情景下，都不相信衣衫襤褸的人會說出真理，以為珍玉寶石都在華貴的衣衫革履之中。其實，許多聖者，外表都很普通，甚至很醜陋，例如，中國人所喜歡的智者濟公，就是這樣的人，他戴着破帽，打着破扇，外表不堪，內心卻極為善良活潑。而佛陀釋迦牟尼出家後，扔掉王子的滿身珠寶，穿着凡人的布衣去化緣，形同乞丐，然而，正是這個時候，他找到真理並擁有最高的智慧，內心豐富廣闊到極點。金庸筆下的丐幫，雖然都是乞食者，其中卻有真英雄。

76

精衛是一隻小鳥，但他選擇了最強大的對手：汪洋大海。夸父和羿也選擇了最強大的對手，那就是太陽。這是知其不可為而為之，知其不可敵而敵之。美國梅爾維爾的《無比敵》（又譯《白鯨記》），其主人公也是一個類似夸父、羿和精衛的鐵漢子，他的名字叫做阿哈，他對普通的鯨魚全然不感興趣，只盯住一頭大得像雪山、名叫無比敵的白鯨。他選擇的也是天下最強大的敵手，並相信這不僅是身體的較量，而且是靈魂的較量。他們的較量無所謂成敗，敢於挑戰的行為語言本身就是靈魂的絕對凱歌。比阿哈更著名的唐吉訶德，所以一直鼓舞着後來的知識分子，也正是他敢於選擇巨大的風車作為自己的對手，知其不可為而為之。《無比敵》、《唐吉訶德》的精神與《山海經》的精神相通。

77 從人與道的關係視角去看生命的成長，人生大約有下列幾個階段：一是聞道；二是知道；三是入道；四是悟道；五是出道；六是成道。海德格爾崇拜老子，說明他已經悟道，但老子卻是道本身，他早已在道之中。追求真理大約也正是這樣的一個過程。「朝聞道，夕死可矣」，第一步是與真理相逢，僅此就不辜負人生一回，但是要了解真理，進入真理，把握真理之核，以至最後成為真理之身的一部分，即成為真理長河的一滴水，卻需要修煉。

78 所謂歷史，首先是精神價值創造的歷史。所有談論世界史的人，都以古希臘作為開篇。希臘創造了工具，創造了日常生活秩序，經歷了波瀾壯闊的戰爭，然而，經過歷史的篩選與沉澱，它留給人類最重要的歷史成果，卻不是那時的鍋碗舀盆和刀槍箭矢，而是蘇格拉底、柏拉圖、阿里士多德的哲學，是雅典的民主制度，是荷馬史詩《伊利亞德》與《奧德賽》，是《伊底帕斯王》等大悲劇。人類最偉大的功夫，是它的精神內功。人類的歷史性驕傲，雖包括物性的文明建構的驕傲，但最重要的還是洋溢着人性的文化建構的驕傲。

79

歷史真的是可疑的。中國的史書都是勝利者寫的。勝利的皇帝授權給他的御用史官寫作，史書作者即使正直，也沒有自由，因此，中國史書便造出無數的冤案，尤其是失敗女人的冤案。說尤物誤國，其實未必。妲己被描繪為第一大尤物，把商朝滅亡的責任全推給她，並把她狐狸化，但真的要問史學家，她壞在哪裏，幾乎沒有人能說清，只會說她太漂亮，蠱惑了君主。太美麗，在中國也是一大罪名，美人往往不是死於權力，而是死於民眾對美的嫉妒與仇視。

80

有徹底肉體化的人，如妓女和其他種肉人，也有徹底靈魂化的人，如真和尚與宗教大師。作家中如杜斯托也夫斯基、卡夫卡等，都是靈魂化的人。中國作家中有一個靈魂化的英雄豪傑是嵇康。他以大靈魂站立於世間，所以對世俗的權勢、桂冠、錢財等全然沒有感覺，甚至對即將強加給他的斷頭台也沒有感覺。他在走向斷頭台之前從容不迫地彈奏「廣陵散」，依然全神貫注。在屠刀砍斷身體之前，他的高潔的靈魂早已遠走高飛，早就隨着歌聲離開泥濁世界。

81

趙復三先生所譯的《歐洲思想史》上說：「歐洲的高級文化是一種孤島文化，它只是先在修道院，後來在學院，在城市中靠幾百個家族支撐固守的輝煌古董」。與歐洲相比，中國現代的高級文化更是孤島文化，但生存比歐洲更艱辛，歐洲還有「修道院」、「學院」這種孤島，中國則連這種孤島都被政治浪潮與市場浪潮所蕩平。一百年來，高級文化的孤島只有個人，只有少數未被浪潮捲走的獨立不移的活人。王國維、魯迅、陳寅恪等，就是中國孤島文化的載體與主體。所謂「中國現代文化史」，其實沒有史，只有點，只有孤島文化的幾個支撐點。

82

中國的許多大聖賢並不著書立說，所以我們至今還不知道唐、堯、禹、舜說了些什麼話，也不知道伯夷、叔齊們有什麼至理名言（只有《採薇歌》和《史記》中記載的片言隻語），他們被視為聖賢，是靠他們的行為語言。偉大而高尚的行為寫在歷史的天空與人類的心碑上，和文字經典一樣不朽。堪稱美國聖賢的華盛頓，也沒有什麼著作，但他的行為語言（如不當皇帝，不當終身總統等）卻永遠銘刻在大歷史的豐碑上。行為語言往往重於文字語言。中國的禪宗天才慧能不立文字，但他的拒絕偶像、拒絕樹碑立廟、拒絕衣砵傳世等行為語言卻是引導我們走出黑暗洞穴的自由真理。

83

金庸在「金庸小說與二十世紀中國文學」國際學術研討會閉幕式上說：「卑鄙小人取得成功，這在中國歷史上好像是條規律。」卑鄙小人不擇手段，敢於胡作非為，這是遵守遊戲規則的正人君子無法對付的。與這一規律相通，便是野蠻戰勝文明，這不僅是中國歷史的悲劇，也是世界歷史常見的悲劇。秦戰勝楚，金、元戰勝宋，清戰勝明，全是野蠻的勝利。蒙古人與中國人常引以自豪的「一代天驕」成吉思汗，一路征服過去，一直打到歐洲。二十世紀世界歷史上史太林戰勝布哈林，也是野蠻的勝利。第二次世界大戰粉碎希特拉的偉大意義就在於它反叛了這條荒誕的規律，這是一次文明戰勝野蠻的勝利。

84

屈原是偉大詩人，寫了很多詩。伯夷、叔齊卻只有一首《採薇歌》，文學成就當然不可相提並論。但從個體生命的精神境界說，伯夷、叔齊則有屈原所莫及的高度。屈原被國家所放逐，放逐後充滿憂傷與不平，怎麼也放不下那個污辱過他的宮廷國君。而伯夷、叔齊到首陽山上雖然吃野草，卻很開心，他們心安理得，《採薇歌》裏沒有半點牢騷和怨恨。因為他們和後來者屈原不同的是，後者把個人和國家捆綁得緊緊，沒有想到個體生命被放逐時恰恰可以保住生命尊嚴和贏得生命自由。而伯夷、叔齊顯然想到了他們的行為不僅守衛了一種政治遊戲規則，而且可以從群體的機體上剝離下來，守衛住生命中最重要的東西。

85

莊子發現神為形役的大現象，也就是發現人是自身的囚徒，精神人是肉體人的囚徒。這一發現真了不起，它暗示：人的解放，其起點是自身走出自身，是自身不再充當自身的囚徒。把囚徒變成自由人，這是人的根本使命，但要完成這一使命，首先得靠自己。古希臘的神話作者，發現偷火英雄普羅米修斯被宙斯所囚，而莊子則發現，普羅米修斯乃是自我的囚徒，其解放取決於自救，自救之後才有播放光明於人間的可能。

86

聖人也有弱項。孟子有「民為貴」的思想和「吾日三省吾身」的自智觀念，但是我們卻讀不到孟子審視自身的文字，只見到他審視和審判別人。也許是這一弱點被後來的儒生所繼承，所以崇奉「王道」的儒生常常也很霸道，也只審判別人。通過審判，審判者便變成良心的權威，一旦與帝王結合，又在「仁政」的名義下實行道德專制。韓愈就是這種知識分子，他那麼排斥佛教，就是道德專制。皇帝都不排除外來文化，他卻偏要排斥。現代知識人有自審精神的很少，也是動不動就審判同行，訓斥他人，脾氣大得很，言與行距離很遠。

87

中國數千年的風雨滄桑，推倒了一個又一個皇帝，但一直沒有推倒封建專制制度。因為這個制度表面上建立在宮廷裏，實際上建立在人心上，即建立在人性的黑暗之中。宮廷主人變換了，但人性主體沒有變，於是，封建制度又在黑暗的人性土壤裏繼續滋生與繁衍。黑暗人性永遠是黑暗制度的共謀。這是永恆的共謀與共犯。五四新文化運動的先驅，拼命攻擊國民性，就是想動搖專制的根基，把專制從人的心裏挖出來，雖沒有成功，但終於打開了反專制的深層之路。

88 釋迦牟尼，可以說是救主，也可以說是偉大禪師。他以其大心靈感悟天地人間，確實悟透了一些生死之謎。中國的禪宗，特別是六祖慧能則把禪推向極致，讓釋迦牟尼在中國開花。如果硬把禪拉到知識層面上說，它宣揚的是心性本體論和空無本體論，反對的是語言本體論。二十世紀的語言學把語言視為本體，排斥了心性。其實心性才是人的根本，宇宙的根本。佛教的唯識宗，其缺點也是太重視語言，太重視經書，不能啟發人們的心性，因此，它終於在民間喪失影響力。中國現代哲學家金岳霖也有類似唯識宗過於煩瑣的缺點，因此，在社會中幾乎沒有影響力。

89 儒是多元的，有孔孟儒，荀子儒，董仲舒儒，朱熹儒，王陽明儒，曾國藩儒，康有為儒。有的是道德倫理儒，有的是行為實踐儒，有的是制度設計儒，有的是滲和着法家的儒，有的是滲和着陰陽家的儒，有的是滲和着佛家的儒。純粹的儒沒有可操作性，很難用來治國，所以才有強調實踐的荀子，強調制度的朱子，強調法制的孔明，強調行為準則的曾國藩。現代人更聰明，知道道德靠不住，便以法治國，一切講遊戲規則，學美國總統只把他當作總統，不當作聖人，只管遊戲原則，不管道德教化。道德由牧師和教師去宣講，由媒體去監督。現代新儒者研究純粹儒，不知他們宣講的是哪家儒？學院裏的儒者總是迂，還是曾國藩這種儒有真見解真本事，倘若他今天當領袖，恐怕也只能先講遊戲規則，再講道德原則。

90 第二次世界大戰之後，最精彩、最有思想的文學，是西方的荒誕派文學，其中又以貝克特、尤奈斯庫、卡繆最為傑出。讀了他們的作品，其凝聚着荒誕哲學的意象便永遠難忘。想起貝克特，就想起他的戈多；想起尤奈斯庫，就想起他的犀牛。想起卡繆，就想起他的薛弗西斯。所有的人都變成瘋狂的犀牛，倘若你不變成犀牛就沒法活。當年魯迅也說過，所有的猴子都在地上爬，倘若有一隻猴子先站立起來，這只猴子就要被其他猴子群起而攻之。中國的牛棚時代，牛棚內全是被閹割了的馴服的黃牛，牛棚外全是瘋狂的犀牛，倘若有人拒絕當犀牛或老黃牛，就會被視為怪物而被咬死。

91 德國的偉大作家拉辛坦然地說：「從知識上說，我們是天使；從生活表現上說，我們是野獸。」拉辛說的是平常時期人半是天使半是野獸，倘若在非常時期，人身上的「天使—野獸」比例就大不相同。「橫掃一切」的文化大革命時期，中國哪裏去找天使？當時遍地都是野獸。哪怕是羊，也要披着狼皮，對着「最大走資派」狂叫。我講懺悔意識，是呼喚自己和同胞們正視過去十年我們都曾經是野獸，即使沒有使用過野獸的爪和牙齒，也發出過野獸的咆哮和野獸的目光。

92

地球不是宇宙的中心，地球每天都在繞着太陽轉。說出這一真理的科學家伽利略被送到宗教法庭審判，而他在羅馬教廷的斧鉞下不得不宣佈放棄自己的異端思想。伽利略的後退被羅馬教廷看成像是對土耳其人作戰取得勝利一樣，歡喜若狂，他們通過使節與文告，向所有的天主教國家、天主教大學、修道院宣佈。宣佈時教堂還要鳴鐘慶賀。他們以為堵住了說出真理的嘴巴和強迫這張嘴巴否定真理就可以消滅真理，但是他們最終失敗了。真理並非活在人類的口中，也並非活在哪個國家裏，而是活在人心中和活在時間中。人心不死，時間不死，真理也不會死。

93

政治家不是派別中人，政客則是派別中人；文學家不是派別中人，文人則往往是派別中人。耶穌基督、釋迦牟尼不是派別中人，而他們的弟子門徒則派別叢生。釋迦牟尼講「普渡眾生」，基督講「愛一切人」，孔子講「四海之內皆兄弟」，都是超越派別。而他們的門徒卻常常鬥得你死我活。大詩人大作家均是性情中人，而小詩人小作家則多半是集團中人。當代中國，文壇中人很多，文學中人卻很少。

94

意大利的哲學家、歷史家、《新科學》的作者維柯（Giambattista Vico，一六六八至一七四四年）說過，每一種文化都必須經歷三個發展階段：「諸神」階段，「英雄」階段和「凡人」階段。德國哲學家黑格爾也說，古典社會是史詩時代，現代社會是散文時代。其共同點是都認定現代文化已不再是英雄文化。「凡人──散文」時代雖沒有英雄的壯麗，但也可能較少野心，較少妄念，較少空洞的激情，較少烏托邦謊言。文化的智慧可能凝聚於日常生活秩序之中。少些鮮血、旗幟與口號，可能產生平庸，也可能建設更符合人性的生活。

95

想起狄更斯的《雙城記》，總是忘不了那位在巴士底獄坐過牢但革命後仍然如同坐牢的馬奈特大夫，總是忘不了那個不斷用補鞋、扎鞋子的動作來沖淡高度心理緊張的細節。他從牢獄中被革命派解放出來了，原以為從此擁有自由，沒想到牢外之世界是更可怕的監牢，面對的雖不是大牆，卻是革命大眾無所不在的專政，隨時都可能被送上斷頭台。這種專政的審判沒有無罪的假設，無需確鑿的證據，也沒有嚴格的審判程序，殺一個人像宰一條狗。於是，他的出獄等於從一個噩夢進入另一個噩夢。難怪伏爾泰要說，他寧可接受寡頭專政，也不能接受群眾專政。

96

二十世紀世界文學的第一聖人，應是奧地利的卡夫卡。可是他生前默默無聞，只是一個小職員。他的《變形記》中的著名意象甲蟲，正是他的生存狀態。

聖者與甲蟲，並不矛盾；真的聖人並不都像孔夫子那樣讓人膜拜。更不會像假聖人那樣愛端起超凡的架子。真的聖人倒是默默承受人類的醜陋和人類的恥辱。變成甲蟲的人，恰恰是最善良、最清醒的人，又恰恰是被社會所恥笑的人。甲殼之上背負着正是人類的恥辱。正如耶穌背負着的是沉重的十字架。

97

慧能把佛教從煩瑣的教條中解放出來，尤其是從唯識宗那種玄奧的教條中解放出來。他首先拯救了中國佛教，但是，他不僅拯救了佛教，而且拯救了知識分子。慧能給知識分子一個啟示，原創的思想不是從教條中去獲得，而應從自身的生命中去開掘。閱讀生命比閱讀書本重要，開掘生命比開掘典籍重要。包括知識者在內的所有的人，要得到自由，完全取決於自身的生命狀態。慧能不識字，但他卻是人類生命的偉大讀者。他從生命閱讀中所悟到的自救的真理與《聖經》一樣重要。

98

佛教和基督教都講慈悲、講寬容，但有所不同。佛教說：放下屠刀立地成佛，認為人一旦覺悟，就可成道，至於成佛成道之前曾用屠刀殺過人是不必計較的。而基督教則認為，成道之前的一切過錯固然可以寬恕，但對曾用屠刀殺過人的過去是必須記住的，必須有所懺悔。這種懺悔是內心的呼聲，是靈魂的訴求。「手」放下屠刀還不夠，還必須「心」放下屠刀。放下後還要有心的洗禮。污濁的血跡沾染過的手，水洗不掉，須有心靈的汁液才能去掉。他們不承認放下屠刀之後便可萬事大吉。

99 二十世紀的哲學家比以往若干世紀的哲學家更喜歡談論意志，尼采的積極意志（權力意志）與叔本華的消極意志（悲劇意志）都影響深遠。而中國的古代哲學家老子、莊子最不喜歡的就是意志。他們講「自然」，自然乃是對意志的消解。任何刻意的東西都是他們憎惡的。幾年前去世的，赫赫有名的思想家以賽亞·柏林，不知道是否讀過老莊的書，但他對激進革命論的批判，使用的也是意志與自然對立的思想，在他看來，激進主義運動正是意志的過分膨脹，從而攪亂了生命自然。暴力革命，階級鬥爭，政治運動，都是意志對生命自然的毀滅。

100 尼采說過，他最憎恨的是那些給人製造羞辱的人。可見德國在二十世紀卻製造了屠殺猶太人的大羞辱。而在中國，製造羞辱卻是普遍的惡習，從皇帝到平民都有製造羞辱的本事與技巧。中國古代知識分子早就有「士可殺而不可辱」的聲明，可是沒有用。過去的一百年，羞辱的規模與手段發展得很快，統治者不殺你，但要把你拿來遊街示眾，戴高帽，剃光頭，還要拿你到報刊上進行大批判，在千百萬讀者面前給你抹黑，羞辱個痛快。人類固然在進化，但人對人的尊嚴的踐踏也在進化。進化中的羞辱不用刀槍，但比刀槍更殘酷，它直刺人心。章太炎先生的「俱分進化論」（善在進化，惡也在進化）看來是有道理的。

101 讀三島由紀夫的《午夜曳航》，看到阿登等一群殺人不見血的孩子，真是毛骨悚然。這一群類似恐怖分子的日本少年，自視為天才與時代先鋒，竟然周密地策劃惡毒的陰謀，用一杯紅色的毒茶輕易地殺死一個仁厚、健壯的生命（阿登的繼父龍二）。整個謀殺過程不動聲色，不浮不躁，非常冷靜，完全像老職業殺手。見到成人的殘忍，已心驚肉跳；見到孩子的殘忍，加倍心驚肉跳；見到孩子之殘忍比成人更為成熟，行兇時更為冷靜，則心驚肉跳得不知所措。

102 《笑傲江湖》裏正、邪兩派教主，為了爭奪「正」、「邪」之名（與當今意識形態之爭相似）和江湖的霸主地位，打得熱火朝天，使寧靜的山川裏也佈滿血雨腥風。在兩個教主腳下，躺倒着無數屍體，這些死者在武林中日夜苦練刀槍，為的也只是拼殺的一剎那。可惜他們拼掉了生命，也只是做了教主走上霸主地位的一塊小小墊腳石。人間的戰爭常常就是《笑傲江湖》所嘲諷的荒謬邏輯：練一身本領，拼一番死活，只不過是成就了獨霸一方的野心家。

103 基督被釘上十字架和在十字架上「寬恕」的呼喚，不是書本語言，而是行為語言，但它比文字語言更加震撼人心。這是懸掛在天空中的無字經典，人類公認的最偉大的著作。歷史最輝煌的部分是生命細節和偉大行為構成的，而不是書本上漂亮的文字。《聖經》所以經久不衰，所以能贏得無數心靈，並非語言，而是語言所記錄的行為，是這些行為所暗示的偉大思想與偉大靈魂。十字架的永恆詩意，是行為和導引行為的心靈詩意，它在人們胸前所散發的神性芬芳乃是行為的芬芳。

104 劉鶚的《老殘遊記》揭露清官的殘忍。在官場上，清官總是比貪官好，但清官的誤區是把道德標準定得太高太苛刻。清官在權力結構中屬於清流，但往往忘記「水至清則無魚」的道理。用絕對完美的標準要求人，就會抹煞人性弱點的合法性和從政的可能性。人無完人，用絕對標尺衡量人是一切道德裁判所的錯誤，它追求道德的崇高，卻陷入人性的殘酷。清官的法庭，並非社會法庭，而是道德專制法庭，他們只知倫理原則，不知社會遊戲規則。劉鶚比起同時代的譴責小說作家，思想深刻得多。

105 嵇康在上斷頭台之前，從容地彈奏《廣陵散》，彈完之後，他感慨説，從前袁孝尼曾想學這曲子，我捨不得教他，如今《廣陵散》註定要絕傳了。其實，即使嵇康傳授給他人，他人也未必能彈得好。千古絕唱，除了曲子好之外，還要彈奏者全生命的投入與傾訴。聲音表面上從樂器中發出，實際上是從生命深淵中發出。知音者聽到的不是弦管之聲，而是血脈之聲。嵇康用生命塑造了《廣陵散》，《廣陵散》又塑造了嵇康的生命，這是他人不可替代的。

106 老子寫着「大音稀聲」這四個字的時候，大約想到大宇宙。宇宙無言，宇宙最是「稀聲」，但它卻是無以倫比的大音：宏偉的節奏，神奇的韻律，永恆的樂章，全在其中。最偉大的存在難以用語言描述，也無需藉大嚷大叫表現自身。基督的聲音是最謙卑的。偉大的政治家、思想家和作家，都是低調的。中國俗語說「皇帝話少」，領袖人物的「稀聲」是理所當然的。只有像希特拉這類歷史小丑，才直着脖子做「獅子吼」。

107 尼采不把人放在一個自我審視的位置上，而放在一個取代上帝主宰他人的位置上，所以他發瘋了。他在沒有主宰他人之前，首先被一個永遠不可能的妄念所主宰。連自己都不能主宰自己，如何去主宰世界？二十世紀中太多自以為是「超人」的妄人，這些妄人總是生活在妄念與幻覺之中。以為自己是救世主，是人類解放者，是理想世界的引路者，是天堂的設計者，是經典的創造者，是「老子天下第一者」，所有這些，全是妄人妄念。曾國藩曾說，「立身以不妄語為本」，可是，一百年來、人類恰恰去掉立身之本，所以，今天到處都是妄人俱樂部和妄語傳播公司。這些妄人宣講的是「救世」的大話，背後卻是人性的貪婪。

108 基督形象的確立，是基督教草創者把上帝從天上請到地上。基督既是天上的神之子，又是地上窮人的兄弟。他在佈滿沙礫的地上不斷行走，腳步緊貼着大地。中國的禪宗大師慧能，他也在佈滿沙礫的地上不斷行走，腳步也緊貼着大地，但他不是把上帝從天上請到地上，而是請到人的心上。上帝既然在心中，天堂地獄也在心中，一切都取決於自己是否能把心靈的大門打開，讓上帝的永恒光芒，照耀自己的內在世界，而不是到山林中、佛寺中去尋找救星。

109 造物主是絕對愛人類的，但他並不贈予人類一個現成的天堂。反之，他在創造人類之初，就把天堂打破，從亞當、夏娃手中收回伊甸園。他懲罰人類的祖先，並不是不愛他們，而是要他們用自己的雙手到大地上去創造天堂，並在自己的心坎裏發現天堂。我們敬重上帝或信仰上帝，並非要在未來的天堂裏掛個保險號，於死後也享樂一番，而是保持天地之初的記憶，努力在地上創造生的快樂與生的意義。

110 說武松、李逵是革命派，宋江是投降派，這種人群的簡單分類法，既是權力操作，又是道德屠殺，比刀槍殺人還厲害。宋江是個具有正義感的儒生，以孔孟之道安身立命。他作為農民起義的領袖，奉行的是中國革命史上的另一種政治遊戲規則，這就是妥協的規則，和平解決爭端的規則，這種規則在中國很稀少，但宋江卻執意去試驗。他的全部行為，是不能用「投降派」這一本質主義概念去描述的。

111 每一個人的生活都可能是一部傳奇，都可能充滿離奇曲折的故事，但不可能都是一部內心傳奇。偉大作家思想家的特別處，正是他們有一部內心傳奇。莎士比亞、托爾斯泰、卡夫卡的內心是傳奇，陶淵明、蘇東坡、曹雪芹的內心也是傳奇。他們的傳奇故事沒有外部世界的戲劇性情節，卻有內心深處無窮盡的生命景觀。他們獨一無二的思想與作品，源源不絕，浩如江海煙波，這才是真傳奇。最深邃，最久遠的傳奇全部蘊藏在內心之中，無所不在的美也在內心中。

112 埃及的金字塔實際上是帝王的墳墓，木乃伊則是永久化的屍體，這種文化乃是面向死亡的文化，所以羅馬人看不起它。中國的古文化，一部分是生命崇拜的文化，一部分則是祖先崇拜的文化。後者把祖宗看得很重，不把孩子當作一回事，也是面對死亡的文化。五四的文化改革把以長者為本位改變為以幼者為本位，這才把整個文化變成面向生命、面向未來的文化。僅此一點，五四的功勳就無法抹煞。

113 王國維一面寫出《殷商制度論》、《殷卜辭中所見先公先王考》、《毛公鼎考釋·序》等學問深厚的論文，一面又寫出《人間詞話》、《紅樓夢評論》等精彩文論，前者是知性的成功，後者是悟性的成功。前者的考據功夫是有形的，人們容易知其難，後者的感悟功夫是無形的，人們常常不知其更不容易。以《人間詞話》而言，短短的一部詞論，能有那麼多擊中要害的準確詩識，能創立「境界」說並道破中國詩詞史上那些真正的精華，這是很難的。這不僅需要知識，而且需要眼力，需要天才，需要生命深處的內功。表面上看，它是「無心插柳」，實際上是天才大心靈的自然結果和修煉結果。倘若以老子的「道」論學，《人間詞話》、《紅樓夢評論》才是大道。

114 中國近代史上，真正的「新儒家」是曾國藩。他雖然著有家書、兵書，但其本質是他的行為。他是行動型的儒家，沒有學術著作，沒有精神體系，卻有對儒家律令的信守。他做實事，不斷行動，其行為便是活的儒學經典。與其說他的行為是他的家書兵書的實踐，不如說他的家書兵書是其行為的註釋。近代儒家文化的精華不在語言上、書本上，而在曾國藩這個活人身上。曾國藩之後，學院裏的新儒學所以沒有生氣，就在於它仍然停留在書齋裏，在書齋裏闡釋得再精細也沒有新意，而在活人身上不必闡釋也可聞到它的新意。

115 儘管熱愛杜斯托也夫斯基，但我從來不認為「忍從」是一種道德。我們這一代人經歷過馴服順從的年代，深知忍從的滋味。無限順從與無限的偶像崇拜連在一起，順從變成迷信。一但迷信，人就變成這樣一種雙面怪物：一面是什麼罪都可以受，什麼折磨都不要緊，在偶像面前顫慄着；一面則敵視任何個性與個人創造，變成撲滅自身與他人的創造火焰的瘋狂警察。前者——「什麼罪都可以受」，開始是忍耐性，後來變成習慣性，習慣於黑暗，最後以為黑暗也是光明；後者則變成黑暗的同謀，為黑暗去撲滅微小的光明，忍從者與劊子手只有一線之隔，這是有了人生的經驗之後才明白的。

116 邪惡的世界將嵇康推向刑場。在走向刑場的途中，嵇康從容坐在地上，彈奏《廣陵散》，這是偉大靈魂的最後絕唱。這首曲子是對邪惡世界的宣判。嵇康在死之前，通過美的審判台已對壞世界率先進行處決。他的頭顱在被砍斷之前靈魂也早已率先隨着樂聲飛向遠方。嵇康與強權的較量，到底誰勝誰負，兩者到底誰生誰死？司馬氏、鍾會這些名字早已成為一團爛泥，而嵇康的名字卻分明還在我們心中和歷史心中。強權與書生的較量，在肉體的場合上，強權總是勝利者，而在靈魂的層面上，書生則往往是勝利者。歷史的不合理性是暫時的，而從長遠上說，歷史是合理的，也是合情的。

117 阿里士多德的邏輯主義對人是很冷漠的，它把人推到人之外進行論證分析，顯示他的客觀立場。但是，這位希臘大哲人並沒有把人吸進他的邏輯體系，也沒有要求人把自身交出來放入他的邏輯機體，正如他的老師只把詩人放逐到人的理想國之外，並沒有要求把詩人交給理想國度的道德審判所。但中國知識分子一直沒有這種幸運，他們有時被推出人之外，有時在人之中。在人之外時，常被視為「牛鬼蛇神」，在人之中時，則是納入某種邏輯機體的齒輪與螺絲釘。

118 閱讀中國文學的整體，覺得它缺乏「曠野的呼告」——靈魂的深度叩問，但不是完全沒有。莊子在人的靈魂裏注入大自然，其後又展開他的雲遊與逍遙遊，這也表明：得大自由時靈魂也就向宇宙萬物敞開。換句話說，當人的靈魂注入自然時，靈魂就是大曠野，那裏就有鯤鵬的呼叫。因此，中國雖然沒有杜斯托也夫斯基那種靈魂煎熬的張力場，但也有突破世俗羅網的靈魂雲遊場。靈魂的呼喊與靈魂的逍遙都是人所需要的。人既追求靈魂的力度，也爭取逍遙的權利。

119 中國兩個特別著名的皇帝劉邦和朱元璋都是社會底層出身，門戶低微的劉邦原是「泗上一個亭長」，朱元璋則是皇覺寺裏的一個小和尚，當了皇帝之後都濫殺和自己同生共死的功臣宿將。倒是高層出身的皇帝（本屬舊朝的王族或高官大將）仁厚一些，不那麼狹隘殘忍奸狡。唐太宗和宋太祖就是這樣的君主。趙匡胤陳橋兵變後除了要兵權之外並沒有要舊臣重將的腦袋，李世民則重用主要敵人（太子建成）的太傅魏徵。在上層社會生長，畢竟多些文化，多些「大氣」，多懂得些遊戲規則；在底層生長，自知本來什麼都不是，反而對有文化有才幹的人心存恐懼與嫉妒。中國人歷來害怕「小人得志」，更怕小人得天下，並非沒有道理。小人一旦掌握政權，下文大約免不了要產生許多血腥故事。

120 《易經》說：天地之大德曰生，把宇宙間最高的道德定義為「生」。可見，中國從遠古開始就有一個對「生」的崇尚與愛，即有一個熱愛生命、熱愛生活的偉大傳統。以後佛教的傳人，又強化了這一傳統。玄奘的不朽功勳，不在於取來西天那些過於煩瑣的經典，而是再一次帶給中國大地以「生」的神聖信息。佛也以生為天地之大德，並且打破人與生物之隔，把對人的愛推向所有生命，把兼愛、博愛變成涵蓋萬物萬有的大愛，創造了一種大於家國境界的生命情感境界。

121 所謂道德底線，就是有所不為。老子的道德經教人「去甚、去奢、去泰」（不要走極端，不要說大話，不要過分），孔子教人「非禮勿視，非禮勿聽，非禮勿言，非禮勿動」，孟子教人「富貴不能淫，貧賤不能移，威武不能屈」等，還有各種宗教的戒律，都是教人有所不為，去、去、去，勿，勿、勿，不、不、不，等等，都是道德底線。全世界儘管社會性倫理與宗教性倫理有許多差異，但都不約而同地找到共同底線，這就是不要撒謊。可見，要求說真話而不說謊言，並非什麼高準則，而是維繫人類社會的一條公約的底線而已。

122 中國文學史上一些精彩的生命，諸如嵇康、陶淵明、李白、蘇東坡、李商隱，曹雪芹等，並不是儒家文化塑造的。儒學講究「秩序優先」，並非「個性優先」。秩序優先自有它的道理，但往往給人帶來屈辱。《紅樓夢》中的林黛玉是「個性優先」，薛寶釵則是「秩序優先」。人類最大的困惑，也可說是思慮中最大的一對悖論是「重天演」還是「重人為」的悖論。天演論者重自然規律，主張「放手」，於是有自然經濟與無為政治。人為論者重道德秩序，主張控制，於是有計劃經濟與專制政治。中國的道家屬前者，儒家屬後者。《紅樓夢》中的林黛玉與薛寶釵是曹雪芹靈魂的悖論，也是人類頭腦的悖論。林薛之爭，不是善惡之爭，也不是是非之爭，而是曹雪芹靈魂的二律背反。

123 陳寅恪先生的〈述東晉王導之功業〉一文（收入《金明館叢稿初編》），是最有歷史見解的文章。倘若要講「史識」，這是典範。王導作為一個大官員，他做事很平淡，很實際，絕對不表現自己的治理才能。他尊重當時各地的門閥，不騷擾他們，結果贏得國泰民安。這既符合望族利益，也符合百姓利益，可說是無為而治。他知道，帶給老百姓安居樂業，建立正常安寧的日常生活秩序，這才是根本性的政績。真正的政績不是數字可以表明的，也不是肉眼可以「視察」出來的。可惜現代人追求的政績只是經濟指際，沒有人性指標，能上報表的所謂「業績」，卻常帶給百姓雞犬不寧。

124 德國詩人兼哲學家賀德林（一七七〇至一八四三年）生前默默無聞，人們只知道他寫過一部名為《許珀里翁》的小說和一些詩歌，也沒有什麼影響。可是，在他身後一百年，卻被現代許多卓越哲學家和文學家所發現，尤其是得到海德格爾的推崇，從而成為德國新的星座。歌德被稱為太陽，他被稱為月亮，名字與歌德並肩，其創作被確認為十八至十九世紀之交德國最高的文學成就，各大學都有賀德林的研究課。這種生前不為世界所知而身後數十年、數百年後卻震動世界的文化現象，並不稀奇。祁克果、卡夫卡、佩索亞都是如此。《紅樓夢》也直到它產生一百五十年後才知道它的作者叫做曹雪芹，其偉大令人無法說盡。這些事例說明，發現真理與發現人類的真金子常常需要時間，時代的眼睛往往無法看清同時代的卓越心靈，歷史常常埋沒天才。

125 中國近代以來，太多「毀滅」的衝動。魯迅翻譯法捷耶夫的小說，其名曰《毀滅》，這個概念正是一個大時代的基調，所以魯迅說「無破壞即無新建設」，也是破字當頭。幸而他卻天才地留下傑出的精神創造物。告別革命，就是要告別毀滅的衝動，把情感沉澱下來，投向建構和投向生長，我衷心敬佩托爾斯泰，是他始終沒有「毀滅」的衝動，倒有「復活」的衝動。這是生命再生與生命重建的衝動。新世紀的中國，最需要的恐怕是這種激情。

126 《水滸傳》中寫宋徽宗挖地道找李師師的故事和早先白居易《長恨歌》中唐明皇與楊貴妃的故事，說明皇帝也沒有愛戀的自由。中國的專制籠罩一切人，包括籠罩皇帝。這種政治專制下的道德專制，是深入到每一個人每一個瞬間的專制。道德使人性更美，但道德專制卻剝奪人性的基本訴求和人的生活權利，包括愛戀的權利與逍遙的權利。五四新文化運動反對舊道德，實際上是反對無所不在的道德專制。文學需要道德光輝，但又必須反抗道德專制。

127 中國的文論、政論、史論，少有體系。而德國則動不動就是體系，康德、黑格爾、費爾巴哈，馬克思等全是體系。這些體系的構築者自己未必覺得了不起，但是傳到了東方，有些中國人學了，卻覺得自己很了不起。以為掌握了這些體系，就掌握了絕對真理和宇宙間的全部奧秘。這些學人由對體系的崇拜進而產生對話語權力的崇拜，動不動拿體系嚇唬老百姓。走過了二十世紀的理念道路，便知體系固然有學問功夫，卻會把人變瘋，寫的人可能瘋，讀的人也可能瘋。體系的身軀龐大，讀了體系的人也以為自己的身軀龐大，於是產生幻覺，這幻覺幾乎是誤認為「自我即上帝」的大幻覺。

128

史筆除了需要「史料」之外，當然也需要「史識」，但「史識」不是追究歷史罪責的窮追猛打，而是用如炬的眼光照亮歷史事實。史書一旦刻意明辯所謂大是大非，就會失去歷史真實。中國的史書，從孔子修訂春秋開始，就有「辯是非」的傳統，到了現代，史書便成了是非、功罪的審判台：一邊是英雄，一邊是劊子手，而兩角色在不同的時間中又與作者的立場變化而發生角色互換。突然間劊子手變成英雄，英雄變成劊子手，當然也有被蒙冤數百年甚至數千年的。現代中國人喜歡當大是大非的裁判者，可是常常忘記自己是一個不明是非的編寫者，其所謂「正確立場」恰恰只是井底之蛙的歷史偏見。

129

鴉片戰爭失敗之後，特別是甲午海戰失敗之後，中國人不僅感到恥辱，而且意識到天下大環境變了，可是，明知變卻沒有應變能力。直到五四，中國的知識精英才發現中國缺少應變能力的原因，即發現應變力的動力，這就是人的個性。群體性、集團性可以摹仿環境、適應環境，但不能創造環境。個體、個性的好處是當社會大環境變化的時候，它能產生新思想、新觀念和種種駕馭新環境的可能性。原創者總是屬於擁有個性的個人。「五四」新文化運動呼喚的正是這種可以幫助中國應變的、具有靈魂活力的個體生命。

130 皇帝需要太監，卻把太監先閹了，這是皇帝的殘暴和喪失人性，但人們都在歌頌帝王，嘲笑閹人。歷來的史學家都把閹人打入道德的另冊，連《史記》也不例外。沒有一個史學家為這種受屈辱，受損害的人伸張正義，沒有人為他們呼喚身體的主權與靈魂的主權。當然，閹人也有被閹了之後變成皇帝的心腹與幫凶，甚至結成凶狠的閹黨，把這種人放到恥辱柱上是應該的，但他們是少數的權勢者，而多數的閹人卻是悲慘的受害者。中國的共和革命，其偉大功績之一，是在結束帝王時代時也結束了這種悲慘的人類殺戮現象和屈辱現象。

131 曾國藩戰勝太平軍之後，擁有雄兵百萬，清廷又沒有得力的滿族軍隊，他完全可以揮師北上，奪取政權，既當皇帝又當大漢族英雄。當時也有人勸他這麼做，但被他拒絕了。曾國藩這種選擇完全反中國的歷史習慣，即以兵壓政、以兵易政的邏輯習慣。曾國藩這種行為避免了新的大流血，開了一種歷史先河。這是中國近代史上真正精彩的德行。這種無言的行為大書，值得永遠閱讀與記取，更值得歷史學家作正面「闡釋」。只說曾國藩是「劊子手」，不說他是避免大流血的改革家，這是不公平的。

132 人類文學史發展到托爾斯泰，「愛才」成為絕對的旗幟。因此，他以絕對的態度拒絕任何暴力。他死守文學的最後邊界，是不讓暴力進入被歌吟的殿堂。他以謳歌暴力為恥，駁斥一切暴力合理的謊言，在他們心目中，暴力無正義與非正義之分。在倫理意義上，任何時候暴力手段都是不合理的，更是不合情（不合人性）的。三島由紀夫是日本現代最有才華、最有創作氣魄的作家，可惜他是一個暴力主義者。他在嘲弄「娘娘腔」的背後，高舉的是與托爾斯泰對立的血腥的旗幟。

133 中國的太監、泰國的「人妖」，都是變性人。「人妖」歌舞團表演時，台下的觀眾喝彩，呼叫，但骨子裏卻瞧不起他們。中國到了滿清，宮廷裏的太監有三千人，官員、民眾口裏稱他們為「公公」，骨子裏卻視他們為「孫子」。他們被閹割，被變性，本是生活所迫，不得已。不割不能活，割了才有生路。他們的不幸是社會造成的，可是社會卻把他們打入另冊，不僅是生理另冊，而且是道德另冊，甚至是人類另冊。世界是否公平，四海之內是否皆兄弟，從這一另冊中可知大概。

134 中國知識人在商代時還相當獨立，所以才有箕子、伯夷、叔齊這樣的人物產生。到了春秋戰國時期，知識分子遊說帝王時還有選擇帝王的自由。那時聖與王是分開的。聖有獨立性，王對聖也尊重。秦之後，多半知識分子就從遊說帝王變成依附帝王。無論是當了宰相或國師，或充當一般的宮廷臣子，都很難有獨立的人格，許多「王者師」實際上是「王者奴」。到了當代，知識分子則被定義為附在皮上的毛，所有的「毛」都倒伏在王者的皮膚上，站立不起來，人才成了奴才。二三千年來，中國知識分子下滑與退化的速度相當驚人。

135 朝着內心深處走進去，打開內心的門戶走進去。禪宗思想大師告訴我們，不要到山林寺廟裏去尋找偶像，菩薩就在你自己的心中，大自由與大自在就在你的體內。每個人的身體都是寺廟，我們一輩子該做的事，就是打開寺廟的大門，把「佛」請出來，讓自由、自在、智慧、良知伴着我們呼吸，生活。當然，身心可變為寺廟，也可變為牢房，被慾望所佔據的身心就是牢房，人也可以做自己的囚犯，一輩子被鎖在慾望的鐵門裏。

136 禪宗六祖慧能的生命本身是一個大寓言，它的現象讓我們體悟不盡，愈感悟愈得到解放。一個宗教領袖，卻拒絕偶像崇拜。他有弟子，卻沒有山頭，沒有宗派。他的禪性不僅遠離組織性，而且遠離紀律性，它只聽從內心呼喚，不受外部約束。禪不是學問，也不是美學，它是立身態度，它是美本身。它對宇宙萬物、社會人生都採取徹底審美的態度。所謂徹底審美，便是徹底掙脱功利鎖鏈，以心傳心，以身觀身，中間沒有任何語障。因此，可以説，慧能是個審美大菩薩，真正在人間作逍遙遊的天才。

137 康德的大腦袋常使我們欽佩不已，他是一個如太陽那麼燦爛的哲人。理性、邏輯、道德律的巔峰，全屹立在他的地平線上，這是舉世皆知的。中國的慧能，也有一個天才的大腦袋，也是一個太陽般燦爛的哲人。穿透萬物的悟性，直逼要害的思維，自救精神的高峰，就屹立在這位禪宗大師身上，可惜世界還沒有充分了解他。康德的分析王國，沒有把生命經驗組織進去，而慧能卻是活生生的生命經驗。讀懂康德的大著作很難，讀懂慧能這部不立文字的大書也很難。無字之書是用生命、行為和天啟般的感悟構成的，也只有用生命與心靈，才能讀進去。

138 不管信不信佛教，讀了《金剛經》都會得到一種啟迪，這就是人應把自己放在宇宙的大背景之中思索自身。在宇宙大浩瀚中，還有什麼不可包容？還有什麼不可超越？宇宙如沙數恆河，地球不過是河中的一粒沙，更何況一個男人或女人，在此大背景下，斤斤計較成敗得失，不僅是悲劇，而且是不知「天高地厚」的荒誕劇。這部經書呼喚人們要不斷走出小背景，包括家庭小背景、團體小背景、行業小背景、國度小背景，而記住大背景。什麼是宏觀智慧？《金剛經》就是。

139 莊子的表達方式，沒有佛教那種大乘意味。他把老子的「道」變成一種徹底審美化的大混沌，一種非常個人化的大智慧。學莊子固然快樂，但也很危險。學其「大道」，可能會領悟到人生乃是一場悲劇，並會警惕知識與技術對人性的傷害，從而獲得自由。學其「小道」，則會變得十分自私，冰冷，圓滑，厭倦一切人間關懷。這正如學老子，學其大道會返回童心，學其小道則可能落入術數的泥潭。

140

基督上了十字架，鋼鐵的尖刺釘進去的是一顆最溫柔最善良的心靈。嵇康上了斷頭台，大刀砍下去的是一顆最高潔最正直的頭顱；張志新被送到黑暗處，子彈炸裂的是一個女子最美麗最柔軟的身軀。人有多狠，人性有多殘暴，社會有多黑暗，想想過去就知道。人間的利益爭鬥，最後總是把絞刑架、斷頭台、子彈推到卓越者身上。聖人所說的「不忍之心」非常脆弱，權勢者「一刀兩斷」的意志倒是非常堅硬。後人能夠安慰自己的只是基督還能復活，英雄形象還在後人心中。殘忍的歷史不斷重複着，幼稚的人類不斷自我安慰着，這正是世界的基本故事。

生命景觀

141 崑崙山、岡底斯山、珠穆朗瑪峰等是地表高度的標誌。在大文化水平線上，有些名字則標誌着人類的精神高度。人們所熟知的大哲學家與大文學家如蘇格拉底、柏拉圖、阿里士多德、荷馬、基督、但丁、莎士比亞、托爾斯泰、杜斯托也夫斯基等都是偉大座標。中國也有一些標誌人類精神高度的人，但未必是孔子、孟子，而是老子、慧能、曹雪芹。在現代中國社會，則只有一個名字是標誌，這就是魯迅，其他的都不是。有些文學論者，力圖拔高張愛玲等作家，可是，高峰畢竟是高峰，高度是瞞不過大歷史的眼睛的。最有趣的是近兩個世紀，有幾個猶太人都成了人類歷史精神高度的座標，這就是馬克思、弗洛依德和愛因斯坦。

142 從古人與友人那裏，我觀賞了兩種很美的生命景觀，一種是「高高山頂立」，一種是「深深海底行」。山頂立者，不是居高臨下的風雲人物，而是骨骼奇崛、有肝有膽、肩膀勇於擔當風險的跋涉者，如嵇康。海底行者，更不知道有什麼風流風光，他們默默潛行修行，是一些不斷往內心深處、精神深處行走的求道者，如達摩與慧能。兩幅生命景觀，給我的書園投下無盡的詩意。兩種賢人，都可能是精神世界裏的殉道者。上述兩種生命景觀的啟迪，我給自己寫下這樣的座右銘「山頂獨立，海底自行」。

143 既然生命帶有一次性的特點，那就不妨把生命當成一種機遇，一次到地球上「走一回」的機遇，就不妨自由一些，瀟灑一些，把生命當成一次實驗，能行走就盡可能行走，能作為就盡可能作為，能閱讀就盡可能閱讀，能表述就盡可能表述，不必拘泥於他人的評語與他人的目光，更不要接受各種權力之手的牽制。既是一種機遇，就抓住機遇充分實現生命的可能。中國人愛說「機不可失」，而最激動人心的最根本的機遇，正是踏上地球並可在地球上作一次生命嘗試的機遇。

144 「相濡以沫」，情意會在生理上分泌出一種物質，這種物質不僅滋潤身體，還會滋潤靈魂。仇恨一定也會在生理上分泌出一種物質，只是我們看不見。這種物質如同火藥，它先是燒焦性情，後才燒焦詩意。「憤怒出詩人」的命題看不到這種危險：憤怒的物質可能會毀滅詩人。所以我質疑這一命題。

145 蒙田說，別人有病，我也感到難受。這叫做「感同身受」，對他人的苦難，自己也有切膚之痛，這便是同情心。人類的美德均是從同情心派生出來。當人喪失道德時，對於他人的痛苦不僅不會同情，還會幸災樂禍。痞子文學便是一種把玩他人痛苦的文學。朱熹認為，設身處地為他人着想，是一輩子的大學問。在現代社會裏，市場的學問、權力的學問、技藝的學問獲得巨大的發展，但朱熹所說的這種學問，卻日益退化，說不定還會滅亡。

146 權力會摧殘人心，但給人心造成最大摧殘的是人心本身。人間最普遍、最濃重的黑暗是人心的黑暗。僅嫉妒心的殺傷力就難以估量。人心的黑暗導致語言的黑暗與行為的黑暗。一切殺戮、欺騙、誹謗、腐敗，都來自人身內部的黑太陽的輻射。專制的權力有時還可以寬恕一個人的罪責，但黑暗的人心卻不會放過一個人的弱點，它對誰都不寬容。

147 人間最精彩的戲劇就是生活本身；其次才是提示人們「生活本身是戲劇」的戲劇；再其次才是把生活變成戲劇的戲劇；最下等的則是連生活也沒有，只有意識形態號筒的假戲劇。生活本身的戲劇充滿生命，充滿血肉，充滿人的蒸氣。把生活變成戲劇已開始離開生命，而那些把戲劇變成社會設計方案的戲劇，則埋葬生命，也埋葬戲劇藝術。

148 讀書，不僅是為了求生，甚至也不僅是為了求知，而是為了求友——為了尋求不同時代的偉大朋友和親密朋友，這是著名女作家維珍尼亞·吳爾夫（Virginia Woolf）的讀書觀。她說：「讀書，不是為了求生或者謀生，而是為了把交流擴大到不同的時代、不同的地域。」書本化解時間之障與空間之障，使我們可以和這個星球上任何地方、任何時代的偉大靈魂相逢。書本，使時間不再存在，使我們熱愛的那些人與我們熱愛的那個世界呈現在書桌面前。打開書頁，我們便可向靈魂之友展開最坦率、最隱秘的訴說。

149 痞子在攻擊天才，騙子在攻擊天才，學院裏的學者教授也在攻擊天才。人類往往可以寬容罪犯，但不能寬待天才。因為寬容罪犯時可以居高臨下，賜予悲憫，心理上有優越感。對天才則必須投以敬重的目光，而且天才總是令人嫉妒。一個天才突然出現，總是要把庸才拋得更遠。於是，痞子、騙子、教授和庸才們就不約而同地聯合起來，要求天才十全十美，不承認天才具有弱點的合理性。攻擊天才，不是天才有問題，而是人類的品格有問題。

150 尊重人性，包括必須尊重人的弱點和確認人的弱點的合理性。「原罪」的假設，所以經久不衰，就因為它確認人的弱點是人的前提。要求人的絕對完美完善，不僅是苛求，而且是摧毀人的前提，消滅人成為人的可能性。「聖人」最大的問題是忘記自己也是一個人，也是一個具有人性弱點的人，在救治他人教導他人時也需要自救。做人最難的並不在於正視社會的真相，而在於正視自身靈魂的真相。聖人的靈魂真相真的完美嗎，這要由聖人作出誠實的回答。

151 倘若把死亡看透，那還有什麼看不透的，如果進而言之，把死後的出路——是否能進天堂也看透，那就更沒有什麼可執着的了。連天堂都不執着，還有什麼金銀財寶、權勢權位不可放下，現代的聰明人，都不為上帝打義工，做人民公僕，倒是紛紛在天堂裏先掛個號，無論是馬克思的天堂還是基督的天堂。

152 人性是脆弱的。人總是用自己的行動證明着自身的脆弱。猥瑣，是脆弱；瘋狂，也是脆弱。倘若人性堅韌，決不會瘋狂。內裏空虛，才會大喊大叫。喊叫是對脆弱的平衡。海明威創作了美國的男子漢文學，人們都以為他是強大的。但他也會瘋狂。當他發現現任妻子藏着其前夫的照片時便端起槍枝掃射發泄。這不是仇恨，而是敏感過度的瘋狂。槍彈的烈火也證明着人性的脆弱。禁忌，也是脆弱。什麼都不敢吃，是胃的脆弱；什麼都不敢看，是眼的脆弱；什麼都不敢聽，是耳的脆弱。表面是感官的脆弱，實際上是心性的脆弱。一個國家，不讓民眾說真話，正是神經中樞的脆弱。

153 托爾斯泰臨終前幾年，不是欣賞自己創造的精神山嶽，而是不斷向世界強調他是個犯過許多錯誤的凡人。他說他怯懦，常常不能說出他所思想、所感覺的東西，雖願侍奉真理，但永遠在顛蹶，在徘徊，如果人們把他當作一個不會有任何錯誤的人，那麼，他將感到深刻的痛苦和羞辱。

154

「身體意念」和「生命意念」是很不同的概念。誰都懂得珍惜身體，但不一定懂得珍惜一次性、瞬間性的生命。《山海經》裏的英雄，他們不看重身體，但看重生命，所以總是超越身體的限度去謀求生命意義的實現。精衛的身體是最小的，但她的生命卻很偉大。她不僅連結着大海，還連結着一個比大海更深的信念。夸父的身體也是很小的，但他的生命意義與太陽一樣輝煌，因此，她（他）們都沒有恐懼，也沒有成敗榮辱的焦慮。

155

王國維在《人間詞話》中推崇李後主，發現這位皇帝有基督情懷，但恰恰是因為他有基督情懷，所以成為失敗者，在世間沒法活下去。王國維本身也有基督情懷，但他也沒法活下去。基督這位偉大的救主在世時，本身也無法活下去。這顆陽光下最善良的心靈，卻被釘到十字架上。大慈悲者被視為仇敵，最善良的心靈受到最難忍受的酷刑，這正是不斷重複的人間悲劇。雖然被權勢處死的基督後來經歷了「復活」，但那是精神的奇跡，而且是無法實證的奇跡。

156

中國最純最美的精神品質，部分保留在語言文字裏，部分保留在音樂繪畫裏，但更多的是保留在人的行為中與歷史事件中，如保留在大禹治水中的倔氣，保留在伯夷、叔齊「不食周粟」中的呆氣，保留在伯牙與鍾子期身上的非功利的義氣，保留在嵇康身上的風骨與正氣，保留在慧能身上的徹悟人生的靈氣。論說千卷萬卷，常常不如行為無言無語的偉大。閱讀歷史，重要的並非閱讀「史冊」典籍，而是閱讀生命，閱讀曾在歷史上出現過的深刻的生命。

157 頭腦有深淺之分，心靈卻難分深淺。美好的心靈屬於深還是屬於淺呢？我喜歡思索的深，頭腦的深，卻不喜歡所謂「深心」，心太深了，就會變成機心。赤子之心不深，但很美，謀略家之心很深，卻很可怕。母親對嬰兒的愛，嬰兒對母親的愛，都是全身心的愛，投入的都是整個世界。「你問我愛有多深？」這個問題是無法回答的，深不見底的情感，恰恰存在於天真的、清淺的孩子身上與毫無功利的母愛之中。

158 雖然下鄉鍛煉多年，雖然到五七幹校多年，雖然吃過苦頭，但不敢怨天尤人。其原因是想到自己在泥巴裏滾來滾去僅僅三年五載，而我們的鄉親父老，還有社會底層的農民，他們卻是一輩子在泥巴裏討生活，年年歲歲在風雨裏滾打，他們才真辛苦，但他們該向誰埋怨，向誰申訴？人間有窮富之差，但人格沒有高低之分，人群更沒有主僕之別。知識者難道就特別嬌貴？幹了幾年農活，難道世界就欠了他們一筆債？工農難道就得還他們一輩子債？如果我有怨天尤人的理由，那麼工農大眾該怎麼怨？怎麼憂？怎麼活？說這些話，不是老話，不是高調，而是說，只有常常想到還在風雨中辛苦的工農，才有平常之心。

159

寫作者最大的苦惱是最深的感悟無法用文字表述。一表述就把感悟簡單化或膚淺化，人們一開口，上帝就發笑，大約笑的正是辭不達意。卡夫卡逝世前囑咐友人燒掉自己的書稿，也許正是感到書稿並沒有表述生命深處那些最深的感受。托爾斯泰臨終之前內心痛苦到極點，走出家園，他用生命本身證明自己和表述自己，這一用行為語言所創造的最後大著作，包含着他的最深的感悟，這是無法用文字表達的大感悟，可是，研究者都忽略他的壓卷之作。

160

旅遊者中有人喜歡觀賞自然景點，傾心於山水；有人喜歡觀賞歷史景點，陶醉於古蹟；我則特別喜歡人的生命景觀。這種景觀，既可在旅遊中發現，也可以在書本中找到。老子、嵇康、慧能、陶淵明、蘇東坡、李卓吾、曹雪芹等，都是一輩子觀賞不完的生命景點。宇宙的精彩，文化的精彩，首先是人的精彩。我內心許多驚喜與狂喜的瞬間，都是因為發現詩意的生命和他們如詩如畫的故事。文化固然存在於竹簡上、書頁上，但主要是存在於生命之上，尤其是活人身上。

161

大愛不愛。大愛者無須愛的宣言，也無需愛的姿態。深邃的愛不僅無邊無際，而且無言無相；它不是自覺的、人造的愛，而是自發的、自然的、情所當然的愛。蔣夢麟在《西潮》書中說蔡元培的故事，我們可感到蔡先生的兼容並包，愛不同取向的人才，並不是自覺的「政策」，而是自發的情懷，他天生就有這種大愛。

大愛倘若是一種「本能」，一種天性，那它就是植根於生命的最深處，它也就最「頑固」，任何黨派和意識形態都無法把它拔掉。

162

如果不分書內或書外，歷史或小說，那麼嵇康、陶淵明、蘇東坡、賈寶玉、林黛玉、慧能、王國維、魯迅等，均可視為生命的典藏。每個人都夠閱讀、欣賞、領悟一輩子。不見經傳的活人，也有許多生命典藏，她也許就在你的眼前，你的周圍。我曾認真閱讀過少女時代的女兒，她們的天真，她們的沒有概念的聲音，她們的不知得失利害的話語，她們的未經分析的正直判斷，她們的純正的沒有雜質的目光，都曾給我極大的啟迪，遠勝於自稱經典的名家文集。

163

宇宙的姿態是站立的姿態，星辰是站立着的，太陽是站立着的。和宇宙對話，是站立者與站立者的對話。人的正常姿態是站立着的。宮廷中自稱「奴才」的大臣，雖然也在言說，但沒有真正獲得與皇帝對話的權利，因為，其靈魂是跪着的。宮廷之外，世界也不與跪着的人對話。因此，對話的前提，是對話者擁有站立的身體與站立的靈魂，是靈魂的對等。

164

性格中最幸福的元素，乃是對人類的絕對信賴。人類經歷過戰爭，社會中到處都有丑類，但是，人類整體在宇宙中是稀有的，甚至是僅有的。世世代代人類無窮的創造力與反省力，是一種最偉大的擺在大宇宙中的輝煌事實。信賴，使我們免受猜忌的折磨，更使我們不會生長出心機與心術。基督、釋迦牟尼的大慈悲，全建立在對人類的信賴之上。他們清楚地看到魔鬼，但在與魔鬼的較量中，他們決不不會把信賴輸給魔鬼，因此，他們是最終的勝利者。

165 基督的十字架，有人豎在心裏，有人背在身上，這都是值得尊敬的。但也有人卻是拿在手上，以號令他人和剝奪他人的自由權利。中世紀的宗教統治，是把十字架高高拿在手上的專制統治。馬克思為被壓迫者爭取解放的精神十字架，到了中國，也是有人豎在心裏，有人背在身上，有人拿在手裏。隨着時間的推移，豎在心裏的革命理想主義者幾近絕跡，背在身上的也日漸稀少，唯有拿在手裏以號令他人者，遍地都是。馬克思曾宣稱他不是馬克思主義者，就是為了和這些手裏拿着馬克思主義橫行於世、巧取豪奪的團體及個人劃清界線。

166 在歐洲的畫廊裏行走，常悄悄尋找最純粹的歐洲藝術精神，找來找去，總是想到梵高。偉大如達文西者，還說過「誰給錢，我就為誰效勞」的俗話，卓越如畢加索者，身上畫上還可聞到慾望的味道。甚至從米高安哲羅到羅丹、莫奈等巨匠，還不得不附麗教會或社會，唯梵高是個空（身無分文之空）對空（天空）、與天地獨往獨來的獨立獨行者。他的如火燃燒的筆觸純粹是生命的內在激情，從人到畫，絕對找不到一絲一毫慾望的痕跡。當他把耳朵割下的時候，一定不像世人那麼痛苦，因為他的全身早已靈魂化了，神經也早已被藝術所麻醉。他不是神，但渾身都是神性；他不是怪，卻創造了讓世界的眼睛看不懂的藝術天書。他是從裏到外，連骨頭都浸沒在藝術狀態中的「狀態中人」，是一個離名利場最遠，離商場也最遠的藝術巨人。當代畫廊賦予他的畫以最高價格，不知他們是否知道，他還代表一種無價的純粹藝術精神，一種在美國、在中國、在世界各地難以找到的屬於永恆的歐洲藝術精神。

167

一個最重要而又最容易被忽略的真理是：人生實在太短了。這一真理派生出的另一真理是：時間太不夠用了。在太短的有效生命中，沒有足夠時間說真話，說新話，哪有時間講假話、講廢話？太短的生命也沒有足夠的時間聽音樂，聽歌劇，哪有時間聽大話和套話？中年過後，剩下的時間更少了，也不能把時間分配給愛講埋怨話多餘話的朋友，只能自作時間的壟斷者與獨裁者。

168

沉默是用非語言的方式所進行的一種表述。中國的禪，也是用非語言、非文字的方式去抵達語言文字難以抵達的深處。天地無言，大宇宙沒有喧囂，它以沉默的方式顯示着浩瀚與潔淨。師法宇宙，便是在沉默中冥想，在沉默中遊思，在沉默中審美，在沉默中抵達生命深處。所以我把沉默的自由視為一種理想，一種靈魂的主權。

169 靈魂的生長，完全仰仗於自己生命的開放，即仰仗海德格爾所說的「存在敞開」狀態。巴比倫塔的尖頂永遠向着廣闊的天空敞開，只有「井底之蛙」才封閉在狹小的境地裏。中國學人常滿足於「自圓其說」，其實，自圓其說只是在封閉的範圍內的自我循環。如果不能把「圓」打破，以敞開其說，結果其說也只是井蛙的一孔之見。生在井底中而不自知，生在洞穴中而不自知，這是人常有的弱點。

170 《孤星淚》（雨果著）中那個警長——賈維爾，一直跟蹤着尚萬強，不管尚萬強如何化裝，也不管他已做了多少好事，賈維爾總是不放過他。他以獵犬似的特有的敏感，識破那個大慈大悲的市長就是他想追捕的強盜尚萬強，這個警察沒有人類的性情與良心，多少慈悲事業都打動不了他。但他卻擁有像狗一樣的嗅覺，非常敏銳。人世間製造孤星淚的就是這樣一種沒有靈魂卻有敏銳感官的聰明人。

171 動物只有空間的本能感覺，沒有時間的本能感覺。從狗到獅子，都不會跳入深淵。深淵是空間。如果吃飽喝足，不必覓食，它們一定會安心沉睡，睡到天昏地黑。因為他們不知道時間的消失，歲月的流遷，更不懂得「珍惜時間」是什麼意思。人類不僅有時間觀念，而且有瞬間觀念。作為生命個體，對自由的瞬間體驗，就是幸福。人因為有美麗的瞬間，所以總是眷戀生活，自殺者很少。動物沒有時間觀念，所以既想不到自殺，也想不到長壽。

172

用海的潮汐來比喻生命倒是十分合適。生命的活力尤其靈魂的活力，是有周期性的。時而活潑，時而僵化；時而洶湧澎湃，時而死水一潭；時而廢寢忘食，時而一點也不想動彈。於是，生命便有高峰與低谷之分。中國的智者有的主張激流勇進，有的主張激流勇退。後者是告誡我們在生命處於高潮中要及時退隱，這雖不是沒有道理，但畢竟還有世故的味道。我不喜歡任何心術，只尊重生命自然，於是，便覺得處於高峰時，該抓住生命，讓它在美好的瞬間中充分自我實現，但不可走火入魔；處於低谷時，也該提醒生命，不要自我了結或走入頹唐。

173

在文化大革命中，我和無數同時代的人，莫名奇妙地被推入恐懼的深淵，精神受盡折磨，身心受到無數次傷害。面對歷史，我和我的朋友不斷自責自審，但國家卻未對我們說過一句道歉的話。我們的民族好像已變成不會道歉的民族。把自己的書生百姓推入牛棚，推入死亡深淵，比焚書坑儒還慘烈，本該表示一點歉意，以讓被傷害被污辱的人們感到一點生命的尊嚴和暖意，可惜我從未聽過一句道歉的話。劫難過後，聽到的仍然是一片讚頌，看到的依然是一派理直氣壯。

174 年邁時，駝下背，彎下腰，生理上有些黃昏跡象，其實不要緊，最怕的是在心理上倒塌下來。人在死亡之前常常在心理上率先消滅自己。死神未到，恐懼已吞沒生的意志。怯懦者與勇敢者的區別在於：前者在距離死神很遠的地方就從心理上走進墳墓，後者則在踏入墳墓的前夕仍然離恐懼很遠。未老先衰是可悲哀的，未死先在精神上自我消滅，才是真悲劇。常聽唯物主義哲學家說：物質第一性，精神第二性。可我在生死觀上寧可相信反命題：心理第一性，生理第二性。

175 中國當代詩人顧城最有名的詩句是說他生着一雙黑色的眼睛，卻用它來尋找光明。但他最終以殘暴的手段殺死妻子的行為語言，說明他沒有找到光明，完全處於黑暗之中。他的悲劇提示我們：尋找光明不能只靠額頭下的大眼睛，還要靠胸脯中的心靈大眼睛。唯有心靈大眼睛，才永遠連結着黎明的太陽。最好的作家詩人作家，都不僅是用肉體的眼睛看世界，而且用內在的心靈眼睛看世界。可惜顧城的黑色眼睛，最後也成了黑暗的一部分。

176 身體上的各種感官都可以幫助我們解脱，尤其是眼睛。維珍尼亞·吳爾夫說：多蘿西·奥斯本（英國女散文家）的眼睛異常敏鋭，她能看破驕人的門第，枯燥的説教，還能看破各種名號頭銜，繁文縟節，人情世故與表面文章。這位女作家啟廸了我，可惜，吳爾夫沒有在文字上説明她是否看破了死亡。倘若眼睛能看破這一層，那才是真的大解放。她雖然沒有説，卻以自己的自殺行為説明她也看破了死亡。她最後走入水中結束自己的生命非常從容。水，一直被她所謳歌，她從容地走進自己謳歌的墳裏，眼睛顯然看穿了最後的謎。

177 通過批判別人洗刷自己，通過踐踏偉人而掩蓋自己的渺小，這是二十世紀中國的精神大現象。阿Q的貧窮落魄是他的懶惰造成的，可是他總認為這是他人造成的，於是就革命，就造反，如果他活到下半葉，鬥起趙太爺一定特別起勁，因為藉此可以把貧窮的責任推到趙家身上。這種「移罪」現象是一種極卑污的心理與極卑污的行為。

178 牢房不僅陰暗，而且髒兮兮。囚犯要在牢房裏生存下去，首先得接受牢房文化的同化，習慣髒兮兮。倘若囚犯偏偏想要乾淨，有別於其他囚犯，就沒有辦法過日子。一個嗜好清潔的人，一旦進入牢房，就得把自己也弄髒才能活下去。文化大革命中，所有的中國人其實都在牢房中，都得把自己弄髒，甚至把祖宗三代也弄髒才能活。當時流行的「抹黑術」，不僅是給對手抹黑，而且也給自己抹黑。自我抹黑，就是把自己弄髒，把自己抹得愈黑算是態度愈好，也就愈安全。

179 在平常的安定日子裏，知識分子生活在概念之中，顯得非常深刻，甚至可以「玉中求瑕，屎裏覓道」，可是到了歷史緊要關頭，卻常常非常怯懦，手足無措，對黑暗不置一詞，在權勢面前一點也抬不起頭，顯得很不「深刻」。而平民百姓，平時沒有大道理，彷彿很不深刻，可是在緊要時刻，卻敢於挺身而出，敢於立在危險之中，有真「行」又有真「言」，表現得異常深刻。

180 狀元會寫一手漂亮的八股文，但是八股文卻給狀元帶來幻覺，以為自己什麼都會，於是就修橋，就辦案，就治理國家，結果呢？結果總是一團混亂。魯迅早已嘲笑過這種狀元。可是當今的一些作家文人也如此，文章一寫好，就給自己造成幻覺，以為自己是大師，是經典，是先知，是超人，完全生活在幻覺中，一點也不認識自己。自己被自己所寫的文章遮住了眼睛，這就是「高級知識分子」。

181 目睹許多發誓願當「傻子」、願當「老黃牛」、願當「螺絲釘」的知識分子仍然被批鬥得皮破血流，惶惶不可終日，真覺得做人太難。他們在恐怖之中，抗爭無法活，妥協無法活，連充當傻子牛馬機器也無法活。一個社會，到了人們按照白癡傻子牛馬的方式去生活也沒法活時，這個社會便是真牢獄。

182 被囚進牢裏，面對銅牆鐵壁和鋼鐵一樣堅硬的黑暗，該怎麼活下去？有沒有活的可能？我回答說：可能。因為我可以找到活的形式，這就是我的獨語。面對幽黑的四壁，可以自語，可以和過去的自己和將來的自己對話，可以和古往今來的偉大靈魂對話，他們的思想在天涯，但也在我身邊，一切尚存於記憶中的思想者，他們陪伴着我。所謂思想者，本就是面對黑暗思索的人，本就是在黑暗中獨坐獨語的人。儘管沒有路可以行走，但只要有一個坐處就夠了。

183 人性的弱點從「阿Q」這種「末人」的身上暴露，也從尼采這種「超人」的身上暴露。超人表面上十分強大，但他只有擴張力的強大，沒有抑制力的強大。所以超人在一定的語境下便化為大騷動與大破壞，展現為瘋狂和無限的佔有慾。這種弱點，不僅表現在希特拉等瘋人的身上，也往往表現在「替天行道」的革命者身上。他們跟着情緒走，並沒有力量駕馭自身的混亂。

184 作家的自由太有限。不僅政治權力剝奪作家的自由，大眾剝奪作家的自由，同行也常常剝奪作家的自由。同行的嫉妒，同行的排斥是很嚴酷的。還有，作家自身也剝奪自己的自由。許多詩人作家鼓動自由，可是他們的內心卻從來也沒有自由過。總是追逐功名利祿，哪能有自由？辛苦追逐中慾望充塞身體，撲滅靈感，堵住才華飛揚之路，自由因此喪失。

185 平常之心不是平庸之心，而是以平常的態度去對待業績與對待苦難。中國的精英們很難回到平常之心，因為他們很難越過「英雄」這個關口。一旦有了業績，便產生超人的幻覺，需要他人來唱讚歌。一旦戰勝苦難，則產生救世主的幻覺，要求社會來補償和敬奉。於是無論是苦難到來還是榮譽到來，都不能平靜對待，不能像往常那樣生活，也不能和往常那樣對待每一個朋友和每一個陌生人。

186 坐牢，受刑，放逐，可能使人生長，但也可能使人從此喪失健康心態。坐牢、受刑之後常常會把苦難當作資本，然後不斷向社會索債，甚至把苦難當作仇恨的理由。復仇的火焰總是從苦難中點燃起來的。基督的啟示是他經受大苦難之後沒有仇恨，從十字架走下來就像從山坡上走下來，之後仍然以平常之心做他該做的事，他想到的是天底下還有更多受難的兄弟。所謂健康心態，就是平常心態。

187 領袖狀態是國家狀態的一面鏡子，從領袖的水平，人格、作風、眼光、精神，大約可把握住一個國家的脈搏。從唐太宗的狀態可以了解盛唐的狀態，從唐玄宗則可了解中唐的狀態。康熙、乾隆，咸豐、光緒、溥儀，不僅是王朝的年號而且也是當時國家狀態的符號。康熙的狀態，是清代前期中國的狀態，光緒、溥儀個人的狀態則是清代末期中國的狀態，大致不差。想想華盛頓、傑佛遜，想想羅斯福，想想克林頓與布殊，就知道不同時期美國的精神與心態，也大致不差。如果一個國家的領袖是一個流氓，那麼，這個國家的狀態決不會是嚴肅與健康的，恐怕也大致不差。

188 英國思想家以賽亞·柏林說，他對史太林最不能忍受的不是他的隨意殺人，而是把人放在手裏隨便揉捏。如果說有比死亡更可怕的東西，可能就是這種隨便揉捏。英國哲學家對此感到恐懼，大約是他看到二十世紀太多揉捏現象。把活生生的生命一會兒揉捏着成貓，一會兒揉捏成狗，一會兒揉捏成「老黃牛」，一會兒揉捏成「千鈞棒」，一會兒揉捏成「螺絲釘」，一會兒揉捏成「身邊的定時炸彈」，再一會兒還可以揉捏成裝潢自己的面具。

189 《一個人的聖經》（高行健著）寫一個內心極度脆弱的青年知識分子，卻遇到人類歷史上未曾有過的最強大的革命風暴。此時，每個人都處於恐懼之中，互相難以了解。沒有人可信賴，也沒有人來幫助，個個像即將沉沒的小船只能自己照顧、護衛自己可憐的渺小的生命，苟活於當下。苟活，往往是生存個體的本能要求，並非自私。

190 《一個人的聖經》中男主人公的妻子倩，在文化大革命的風暴中，躲到深山老林裏。那裏人煙稀少，連動物也很少，本可以過安靜的日子。但是，那個時代到處是政治，革命空氣籠罩着一切角落，連鄉野山野，氣壓也很高。在最平靜的地方，倩也發狂，硬說丈夫是階級敵人，對着他拿起刀子。政治一旦到了無處不在，人性便無處可以存放，親情也無處存放。親情是人性的本源，連本源也喪失，人性就變成獸性。

191

少年時代的朋友攜手走在同一條路上，談抱負，談理想，談追求，後來出現了十字路口，朋友也分化成聰明的一群和笨拙的一群。聰明的順應時勢，腳下終於踏上紅地毯；笨拙的卻永遠在辛苦跋涉，或在書齋裏服苦役，或在荊棘路上走得滿身傷痕。最後和我在心靈上相通的，都是一些大笨人，別人不肯做的，他們去做；別人不肯吃的苦，他們去吞咽；別人不肯入的地獄，他們去入。結果別人早已衣錦還鄉，他們卻還是如牛負軛，如馬負重，有時還被濺上一身污水。

192

鼓動暴力的領袖們非常聰明，他們要的是英雄美名，不願意當妥協者。他們以崇高的名義把你推到屠刀之下，你死了，他還活着，他來主持你的追悼會，論證你的崇高和他的仁慈，然後，又把另一群人再推到戰火中去化作灰燼。另一群人死了，他們依然站在光榮、安全的舞台上，依然論證你的崇高和他的仁慈，血腥的戰鬥離他們很遠，屍首的腐臭味他們從未聞到過。

193 中國的俗話説，忠言逆耳利於行。其實所有的真話都是不好聽的。博大的胸懷之所以博大，就在於它能聽不好聽的話，容納不好受的語言。不好聽的話，社會不歡迎，同行不歡迎，權威不歡迎，但還是要説。不好聽的話，耳朵不舒服，臉上不舒服，心裏不舒服，但還是要聽。講真話的人終究是寂寞的。誰都愛聽悦耳的話，不愛聽逆耳的話。孔子把「耳順」看得比「知天命」還難，可見能聽不進好聽的話，是人的真正成熟。

194 名人一旦成名，總覺得自己很重要，實際上很有限，很脆弱，但也覺得「很重要」，接着便試圖以自己的「重要性」去改造他人的生活和影響社會的道德秩序。倘若力量不足，至少得影響弟子的生活方式和道德方式。如果弟子不依不從，就把弟子開除出教門。這種行為語言就影響了社會走向獨斷與霸道。可見「重要性」不等於「真理性」。人間世界走下坡路，愈來愈不像樣，正是重要人物的「重要」影響。

195 以往只知道故國的物質底子薄，不知道人性的底子也很薄。物質底子薄，奮鬥幾十年就強盛起來了。人性底子薄，卻不是短期可以補救的。魯迅感慨中國人太健忘，常常一哄而起，一哄而散。鬥起自己的同胞兄弟異常殘忍，搞起物質建設，又容易貪污腐敗，沉湎於酒色。容易東歪西倒，就因內裏缺乏支撐。中國人常常自恨自己窮，其實是人性底子更貧窮。

196 專制制度令人憎恨，專制人格也讓人憎惡，而最叫人討厭的是專制空氣。這是專制對全社會的精神籠罩。專制空氣無時不在，無處不在，讓你感到無處可以逃遁。在專制空氣下，不僅語言、行為要非常謹慎，而且身體姿態也要非常謹慎。製造這種空氣的，不僅是專制者，還有被專制者；不僅是警察的眼光，還有街道里弄裏老太大們的眼光；還有各種奸狡的莫名其妙的眼光。這些眼光就是空氣中的細菌與病毒，它讓人感到窒息，感到自由的徹底滅亡。

197 理性主義以為理性可以控制一切，把握一切，可是有兩種東西他們往往控制不住：一是「性」，一是「死」。理性英雄未能闖過美人關，這是常見的事。至於死，理性主義者確知死亡無可逃遁，但何時死亡卻無法精密計算，全然不可知，於是他們就對死產生恐懼。我不是絕對理性主義者，但我也常常感到一種莫名的恐懼，這恐懼不是膽怯，也不是對死神的畏懼，而是從生命深處感到人的無助：人是如此脆弱，人性是如此脆弱，即使人性中注入許多理性，還是脆弱。

198

人有生命，動物也有生命，但人的生命卻有動物所不能相比的潛能。動物的生命沒有開掘的可能，人的生命卻有無限開掘的可能性。生命的無比奇妙就在這裏，就在於它愈是開掘愈是豐富，奇思奇想奇跡愈是層出無窮。倘若不是軀殼的自然限制，生命可以不斷打破時間與空間的疆界一直開掘下去。人的外部故事容易終結，但內心傳奇卻會連綿不斷。動物的軀體與人相等甚至於大於人，但其內在生命視野與內在潛能的比例，則是零比無限。擁有一個奇妙的內在生命，這是人真正值得驕傲的理由。

199

看到幾位老學者被社會寵壞了，被門徒寵壞了，看到他們眼睛真的花了，心也真的花了。花了的眼睛不僅認識不了歷史，也認識不了自己。一旦妄心，接着便生妄念，完全生活在幻覺與妄想之中，不斷作精神撒嬌，隨地撒嬌，隨時撒嬌。心理的優越變成言行的荒誕。這些老學者被幻覺堵住返回童心的路，結果就瘋癲起來。名聲地位的殘酷，就這樣把聰明絕頂的教授變瘋變醜，變得面目全非。

200

袁世凱一步一步走上權力的塔頂，最後當上了大總統。孫中山二次革命失敗後，國會變成花瓶，他更是為所欲為，成了實際上的皇帝，但還不滿足，還想穿上龍袍坐上金鑾殿，連皇帝的形式也不放過。人的慾望是個無底洞，說人是歷史的人質，不如說是慾望的人質。在亂世中，他算是一位梟雄。他闖過許多險關，戰勝許多強大的敵人，包括戰勝光緒皇帝與孫中山，但是，他最終沒有戰勝一個最難戰勝的敵人，這就是他自己。他沒有戰勝自己的帝王慾望，竟逆時代大潮流而動，結果不僅皇帝當不成，而且身敗名裂，留下一個千古笑柄。這個梟雄的生命史倒是證實一個道理：能戰勝自己，那才是最大的勝利。

201 如果借用《紅樓夢》的語言把世界分為泥濁世界與淨水世界，那麼，王國維肯定是屬於淨水世界。這位老實人是淨水世界裏的一條魚，他無法活在混水中，可是，從清末民初之際到他臨終之前，中國卻是一片混水。在此混水中，像王國維這種「魚」不能活，所以他只好自殺。自殺對他來說，是通過絕對手段實現從泥濁世界到淨水世界的跳躍與自救。污泥濁水中，有兩種魚類可以活得很好：一種是泥鰍；一種是鱷魚。惡質化了的社會也是一潭污泥濁水，能在這種社會裏活得好的，也只有兩種人：一種是像泥鰍一樣油滑的聰明人、伶俐人、流氓；一種則是長着堅嘴利牙的惡棍與惡霸。前者在社會中鑽營，後者在社會中稱霸。如果正常人要適應這種社會，就得像泥鰍滿身油滑或像鱷魚滿嘴利牙。

202 生命是多元形式的存在，所以不能在個體生命與個體生命之間去畫等號。有些人想當革命家，想在地上建立一個天堂般的樂園，這很好，但不能要求別人都去當革命家，和你畫等號。有的人想當雷鋒式的人物，這也很好，但不能要求別人都去當雷鋒，都去和一顆革命螺絲釘畫等號。你有學問，你有思想，你有才幹，但你不能要求別人和你的學問方式、思想方式、才幹方式畫等號。要求他人與你畫等號，就是消滅他人的個性，就是專制人格。

203 漂泊者對自身的內心呼喚是「走出去」和「走進去」。「走出去」是走出國界去拓展另一片天地。不是侵佔他人他族的領土，而是開拓永遠屬於自身的人文世界。於是，又要「走進去」，外邊是浮華世界，裏邊才是精神宇宙。內心深處，沒有東西方之分，沒有古今之分，沒有天地之分。走進去才能打破一切時空界限，才有存在的意義上的走出去——走出必然的時空，進入自由的時空；走出有限的時空，進入無限的時空。莊子「逍遙遊」中的大鵬，扶搖直上九萬里，大鵬的志向不在身外，而在身內。

204 不要說這裏是文化沙漠，那裏是文化沙漠。詛咒一萬次沙漠，不如去種一棵樹。一萬個詛咒者，每人都種一棵樹，就會在沙漠中創造出一片綠洲。夸父追日雖然失敗，但他扔下的拐杖卻化作一片桃林。我們的筆就是當年夸父的拐杖。夸父並不嘲弄所謂沙漠，只知道必須撲滅炎熱與創造綠土地。《山海經》那些遙遠的呼喚，是關於可能、關於意志、關於建設的偉大呼喚，這才是最美的呼喚。

205

人生一世總會經歷許多勝利與失敗，而最慘重的失敗並非是被他人打敗的失敗，而是自己打倒自己的失敗。自己把自己打倒在地，消極頹廢，久久爬不起來，失敗得最慘。人的勝利，最值得高興的勝利，也是自己戰勝自己的勝利，戰勝自身的悲觀，戰勝自身的絕望，戰勝自身的狂妄，戰勝自己的慾望，戰勝自身的沉淪，戰勝自己的世故，戰勝自己的幻覺，都是了不起的勝利，它比戰勝事業的對手要難得多。三國時代的周瑜，他戰勝了來自北方的曹魏大軍，但戰勝不了自己的嫉妒之心，最後就死在自己的性格弱點之下。

206

六十歲生日的時候，非常高興。我發現自己內心仍有許多衝動，尤其是思想的衝動，而且仍然感到飢渴，感到閱讀的飢渴，提問的飢渴，與天、地、人對話的飢渴。這種飢渴的發現是一種很深的快樂。因為我知道，生命只要還有飢渴，還想吞咽知識，還在尋找新穎，尋找神秘，尋找新起點，身心就沒有蒼老。一個在情感深處與精神深處保持着衝動的人是幸福的。有人說學者不應當有詩人氣質，其實，有詩人氣質，學問才有詩意。賀德林所說的詩意棲居在大地之上，應當包括學問家。學者難道應當變成詩意之鄉的「異鄉人」嗎？

207

有人說良知是先天的，有人說是後天的，有人說是神賜的，有人說是母親賦予的，有人說是歷史積澱成的。良知的來源儘管眾說紛紜，但都承認人必須有良知。良知就在人的本質深處，它不是法律和觀念的規範，而是人的內心呼喚。看到別人的痛苦自己也會感到痛苦，看到別人的不幸自己也會感到不安，這就是良知。種種定義中，有兩種特別富有詩意。一種屬於有神論者，他們認為良知是對上帝的記憶（別爾佳耶夫），那是關於慈悲、關於愛、關於責任的記憶。另一種屬於無神論者，他們認為良知是對大地母親的記憶。大地母親就是底層的工農，兩者就是被母親的汗水所灌滿的精神生命，那也是關於愛，關於責任的記憶。

集體靈魂之傷

208 以色列國建立之前，猶太人沒有國家，但也可以說有國家，是流浪的國家，漂泊的國家。他們分散於世界各地，但散而不散，像一篇巨大的生命散文，外散內聚。所以能如此，關鍵是他們有共同的內心律令，寫在《舊約》上也刻在心靈深處的絕對命令。民族凝眾力，不是靠權力，不是靠財富，不是靠語言，而是靠內心律令。阿拉伯國家都講阿拉伯語，但阿拉伯世界卻是四分五裂，中國儘管有統一的漢語，但內戰的烽火在二十世紀卻連綿不斷。

209 對於猶太人來說，歷史就是他們的故鄉，信仰就是他們的祖國。他們把歷史、把信仰凝聚在心中，所以心不散，族不敗，國不散。儘管到處漂泊，到處被驅逐，但猶太種族總是存在總是健在。希特拉霸權的瘋狂炮彈炸毀了一個又一個國家機器，卻炸毀不了猶太人漂泊的國度。對於許多中國人來說，皇帝就是他們的國家，朝廷就是他們的國家，當下的領袖就是他們的國家。皇帝一倒塌，政權一變遷，人心就渙散。心靈凝聚在王者身上是最不可靠的，王權總是短暫的。中國王權不斷更換，老百姓則總是具有同樣的狀態：一盤散沙。

210 在金庸《鹿鼎記》中，宮廷和妓院是對稱的，兩者都是慾望之所。一邊買賣肉體，一邊買賣靈魂。韋小寶既是妓女的兒子，又是皇帝的知己，兩者並不衝突。歷來人們都以為妓院骯髒、下賤，宮廷乾淨、高貴，其實兩處都是泥濁世界。所不同的只是宮廷擁有刀槍、監獄、軍隊、典籍，而妓院卻只要金錢，不管其餘。以往有些書生看到皇帝走進妓院就大為驚訝，其實，許多皇帝本身就是慾望的化身，心思並不乾淨。

211 金庸的小說《鹿鼎記》創造了典型人物韋小寶。小說引起了震撼，因為中國從上到下處處都有韋小寶，處處都有成熟的圓滑與成熟的狡猾。韋小寶是個生存至上主義者，為了生存，他使出全部生存技巧，動用一切「生存策略」。為了生存，他什麼都可以賣，從身體到靈魂。一切都閹空了、賣空了，但又擁有一切。靈魂裏空空蕩蕩，身體上卻沉沉甸甸。又是峨冠博帶，又是妻妾成群。韋小寶的母親是個妓女。而妓女的全部效應都在韋小寶身上發生。為了生存，妓女什麼都賣，包括人的尊嚴。阿Q是精神的勝利，韋小寶則是生存技巧的勝利。

212 魯迅當年探究國民性時，發現身處底層的農民，心性中也有皇帝的靈魂。像阿Q這樣一個住在土谷祠裏的一貧二白的窮光蛋，也在做天翻地覆的皇帝夢。在夢中，他一旦做了皇帝，第一件事就是佔有，滿足慾望，然後就是論功行賞和處置反對派。平民、官僚、貴族、皇帝、主人、走狗等不同階級的角色都有同樣的性格，這就叫做國民性。植根於中國集體無意識深處的帝王魂，是最難改變的。所謂江山易改，本性難移，在這裏可解釋為，皇帝的寶座可以改變，但皇帝的靈魂在中國卻真的可能是萬歲萬歲萬萬歲。

213 金庸筆下的慕容復（《天龍八部》中的人物）一心想復國，日夜做着皇帝夢，野心未能得逞，最後自己戴上皇帝帽，穿上龍袍，發一些糖果給貪玩的孩子，讓他們跪拜，稱臣，喚他「陛下」，三呼「萬歲」，算是圓了一場大夢。中國一些志大才疏的政客與墨客，也常有慕容復的帝王情結。眾集幾個人，湊上七八條槍，佔個山寨，號稱為王，開始作皇帝夢。儘管離宮廷十萬八千里，但能過把癮也就高興。許多「老子天下第一」者，都是慕容復。近年看到大陸、香港一些喪失創造力的學人教授，在他人的著作封面上，署上「主編」的大號字樣，也是圓了一次慕容復似的幻夢。

214 故國「非典」疫菌從發生、發展到終結，構成一大寓言。面前奇異的病症，醫學家給它命名為「非典型」，而作為文學寫作者，我卻覺得非典故事「很文學」，「很典型」，簡直就是中國國民性的隱喻。中國人至今仍以「面子」為精神總綱，為了面子，寧可層層隱瞞疫情。為了實利，寧可放縱恐怖魔鬼；面子、實利背後是血腥式的自私，官員為了保住烏紗帽，什麼花言巧語、豪言壯語都說得出口，民眾為了自保，又是什麼花樣絕招都有。人人都對病菌充滿恐懼，但每個人身上也都帶着病菌。卡繆在《鼠疫》中通過小說中的人物魯與裏厄說：「每個人身上都帶着鼠疫，世界上沒有人是清白的」，這就是荒誕。

215 魯迅不僅看到中國有病，而且看到中國有大病，有浸入骨髓的大病，數千年積澱下來的集體大病。阿Q病只是其中的一種。可惜，嚴重的是中國人卻不知道自己有病，更不知道自己有大病。紅腫之處，竟以為豔如桃花，這便是集體幻覺，集體無意識。所以必須吶喊，必須大叫，必須喚起對大病的意識，必須下重藥，必須痛徹肺腑地告訴自己的父親和故國：你必須脫胎換骨，你必須來一番徹底的療治。魯迅的悲觀正是看到中國的集體大病病入膏肓，不僅有制度問題，而且有更為嚴重的文化心理大病的問題。文化——國民性變成黑染缸，什麼好制度進來都會變得面目全非，連「教授」、「博士」這類好名詞也會變得一團糟。

216 阿Q被殺頭之前還要大喊一聲「二十年以後還是一條好漢」，至死還要面子，至死還要出風頭，還改不了自欺欺人的惡習。可見中國國民性的劣根是死神也無法拔掉的。存在的意義固然會在死神面前充分展開，但存在者的無意義在死神面前也會充分展示。革命的烽火更換了政權，但人性的劣根卻照樣生長，這種根，就是深層文化。更換制度不容易，更新這種根更難。魯迅的悲觀就從這裏發生。

217 中國的男人多半具有專制人格，即使是反對專制制度、具有民主理念的男人，也往往具有專制人格。詩人顧城的詩反叛專制，可是他本身卻是揮動斧頭砍殺妻子的專制暴君，倘若他執政，也是不許有「異端」存在的。最有意思的中國血統的海內外自由主義學者，本是專制制度的「敵人」，可是他們也專制得很。他們總是以為自己和自己的洋老師掌握了絕對真理，不容討論。如果有人發表不同意見，他們就跳將起來，就發狠話，就暴跳如雷，語言文字裏也充滿專制味與血腥味，原來，自由主義者也沒有自由人格，只有專制人格。

218 中國人歷來只為勝利者鼓掌，不為失敗者鼓掌，所以魯迅才讚賞那些在競技場上跑在最後但堅持跑到終點的運動員，為這些堅韌的失敗者鼓掌。可惜魯迅沒有提醒，在精神運動場裏，有許多人不僅不為失敗者鼓掌，也不為成功者鼓掌。他們的一雙被嫉妒所刺激的雙腳，一腳踢開失敗者，一腳則把成功者踩在腳下。中國的大成功者，很少有不被同胞咒罵諷刺的幸運。

219 在中國，財主與權勢者常常兼任精神帝王，即一旦擁有巨大財富與權力，同時也就擁有真理。魯迅曾說：「我們鄉下評定是非，常是這樣，趙太爺說對的，還會錯嗎？他田地就有二百畝。」「他們對紳士有田三千畝，佩服得不得了，每每拿紳士的思想做自己的思想。」這種現象在香港似乎也是如此，最大的財主說的話也往往成為權威話語。在美國，這兩者是分開的，星條旗下，億萬富翁有的是，但他們的話語價值往往不及象牙塔裏的教授，也不如媒體中的節目主持人。白宮中的總統，在民眾心目中並非聖人，領袖是不兼導師的。中國古人說的「侯之門，仁義存」，美國人是要大打問號的。這種不把權力、錢勢、名號、地位和出身門第當作衡量人的標準和依據，總是好的。

220 老舍《貓城記》中的貓城公民，特別熱中於內鬥。城外的敵軍已經兵臨城下，烽火連天，城內還在鬥個日夜不休。中國是個尚文的國家，近現代確實沒有對外窮兵黷武，但是內部卻十分尚武，內鬥起來總是格外凶狠格外慘烈。連文化大革命最後也幾乎演成武化大革命。新貓城的雙方，如北京大學、清華大學的雙方，均放下課堂，壘起碉堡，放下筆墨，拿起刀槍。今天的一些激進大小文人，語言均充滿殺氣與火藥味，他們「外戰外行，內戰內行」，承繼了貓城傳統。

221 父母與鄰居吵架，吵不過就回來打自家的孩子，藉以「出氣」，這是中國人的家常便飯。從「家」引伸到「國」，便是對付不了外國人的時候，就拿自己的同胞「出氣」。打不過金朝金兀術，就拿岳飛出氣；打不了日本天皇和伊藤博文，就拿李鴻章出氣；打不了蘇修赫魯曉夫，就拿劉少奇出氣。這種「家裏出氣」的模式上升為現代的高級理論，便是「最危險的是內部敵人」，發展為社會實踐，便是一場又一場的政治運動。運動愈猛，氣出得愈足，心裏就愈舒坦。

222 中國的讀書人進入政治，為保持自身的道德形象，便形成所謂「清流」。清流總比濁流好。可是，清流們卻常常由此把道德標準定得太高大玄，要求他人道德絕對完善。一旦要求完善完美，就變成苛求，清官就變成酷吏。劉鶚的《老殘遊記》揭露清官的殘忍，道理就在於此。中國從古到今的清流，屬儒家的，要求他人是百分之百的「儒」，屬法家的，則要求他人「百分之百的法」，屬馬克思主義的，則要求他人「百分之百的馬列」，這種「百分之百」的道德標準不僅造成「水至清則無魚」的孤家寡人局面，而且形成極為殘酷的道德審判。

223 中國歷來只許皇帝與官僚擁有慾望的權利，而老百姓是沒有的。「存天理、滅人慾」是只對老百姓說的。不僅「刑」不上大夫，「滅慾」也輪不到大夫。對於皇帝，他不僅存有天理，而且代表天理。至於人慾，不僅不滅，三妻四妾粉黛六宮，都是天經地義的。現代中國，慾望釋放出來之後，官員們以各種名目都在享受慾望的權利，但老百姓一旦有所享受，總是受到道德的壓力、意識形態的壓力與心理的壓力。中國雖講平等，但即使在魔鬼（慾望）面前，也未必真有平等。

224

歷來皇帝的聖旨都是「一句頂一萬句」，可是老百姓的話卻是「一萬句頂不了一句」。僅此差異，就相去十萬八千里。知識分子了解這種差異，所以都追求話語權力和話語權力背後的政治權力。不能當上王者，便想當王者師，不能當王者師，也要說點王者言，不能「一句頂一萬句」也得一句頂上十句、一百句，爭取比老百姓強一些。都為權力費盡心思，哪裏還有心思去關心平民百姓一千句的伸冤，一萬句的哭訴。倘若他們的心底真能放下幾句老百姓的呼聲，老百姓就要稱他們為聖者了。

225

中國人的聰明，包括中國知識分子的聰明是少做實事。做實事總是吃力不討好，最討好的是讓別人去做實事，自己等着瞧。不做事的人不僅永遠正確，而且還可以享受「事後諸葛」評頭品足的快樂和自我沉醉。近代曾國藩、李鴻章都是做實事的人，但都承受許多恥辱、罪名，曾氏晚年到天津處理教案，這是苦差事，但又是倒霉事，最後把他累死了，還讓他背上一身罵名。做了實事好像是做了壞事，哪能比得上不做實事的人，既清閒又清明。

226

中國當代作家周實寫了一部小說，名叫《刀俎之間》。隱喻專制的權力如同切刀，而民眾如同切板。沒有切板，切刀就無能為力。切板雖然一直被切刀剁着、摧殘着，卻偏偏又是切刀的共謀。在切刀與切板之間被剁碎的生命，固然死於切刀，但切板也有責任。具有奴才心態的知識人和民眾，一面受壓迫，一面又是專制的基礎。歷代類似秦始皇的暴君都是其臣民製造的。專制建立在人性的弱點之上，倘若暴君治下的臣民意識不到自己也是俎的一部分，是切刀的共謀共犯，這切刀恐怕是要永遠切下去的。

227

包括帝王在內的中國強者，他們的「強大」，均表現在打擊對手與打擊異端的力度上，特別是在打擊域內的對手與異端，而不是表現在有足夠的內心力量承擔責任，特別是承擔重大的歷史恥辱與歷史罪責。中國政治歷來都是替罪羊政治。帝王不敢承擔歷史罪責，就拿替罪羊開刀。這種移罪行為的背後乃是怯懦。而比皇帝更為怯懦是文人，他們寫史作傳，不敢碰皇帝的權威，卻把歷史罪過推到弱者身上，特別是推到女人身上，於是便有「女人禍水」之論。魯迅早就批評歷史論客們「大抵將敗亡的大罪推到女性身上」，所以才能編出「妲己亡殷、西施誤吳、楊妃亂唐的那些古話」。中國人對帝王只有恐懼，沒有衷心敬佩，大約正是看穿他們也是一些沒有內在力量的人。

228 中國人還是了解中國人的。中國的統治者自己愛面子也知道其他中國人都愛面子。於是，執刑時便給「犯人」來個遊街示眾，先剝下其臉皮，再砍下其頭顱。這種辦法一直沿襲到當代，所不同的是，被示眾者還可以站在卡車上，比古代的囚車文明得多，而看客則與百年千年前一樣，均是看熱鬧，興高采烈，像過年過節，只是略帶一點恐懼。就不知有多少人看到卡車上被示眾的老頭老太大，而想到自己的父親母親倘若也有如此遭遇會怎樣，更不知有多少人看到被剝臉皮的年輕人會想到自己的兄弟兒女。中國人是遊街示眾的永遠的好看客，永遠的好觀眾。從來如此這般，以後大約也是如此這般。

229 文死諫，武死戰，這是中國忠君志士的老傳統。儘管諫時均有安全系數的考慮，但敢諫總比不敢諫好，因此宮廷中的諫官諫士還是受敬重的。中國現代文化本來應當是自由文化，但是因為沒有自由，所以諫文化仍然變個樣子還存在着。一九五七年許多「右派分子」，其實是忠誠的大小諫士，但還是被打成階級敵人，於是諫士愈來愈稀罕，當下倘若出現諫士諫文，就會被炒作，被鼓噪，被拔高，甚至會被誇張為「大師」。如此現象，不能怪諫士，只能怪專制。

230 《一個人的聖經》寫出了人內心最隱秘的東西，羞恥，屈辱，卑微，恐懼等，然後又昇華到對人的尊嚴的呼喚。在瘋狂的政治風暴中，一切都被摧毀了，不僅摧毀了文化，而且毀滅人性底層最後的基本原素，包括夫妻相互信賴的原素。最親密的戀人和不共戴天的敵人，轉換只在一念之間，親情毀滅也只在一念之中。家庭，生存最後的一個避難所毀滅也在一念之際。這種生存困境不是一般的困境，而是絕對無法活下去的困境。在重壓之下，小說的主人公，一個脆弱、文雅、生長在溫柔之鄉的生命竟然跳了出來，跳到桌子上去造反，變成「跳梁小丑」。他的故事說明：人在恐懼中為了保障自己的生存，很快就會改變自己的身體和自己的語言，完全變成另一個連自己也不認識的陌生人。

231 在中國，誰有權勢，誰就門庭若市，忙得不得了。縣城、省城、京城權勢者的門庭尤其忙，沾親帶故或不沾親帶故的皆來求見拜訪。來訪者太多，權勢者能否親自「出面」便成了一件要事。門庭難以納眾，就不能不端起架子。一拿架子就招來許多是非物議。所以最好是乾脆當大官，混上大權勢者，住在宰相府裏或親王總督府裏，門庭變成兵勇守衛的大堡壘，既威風又寧靜。可是權勢者一旦失去了權勢，門庭的風景就會立即改觀，今天烏紗帽落地，明天門庭立即冷落冷清，其速度之快又讓權勢者們感到不習慣甚至寒心，因此他們也常有世態炎涼的感慨。

232 所有的人都死了，只有一個人活着；所有的頭腦都僵硬了，只有一個人的頭腦活動着；所有的故事都消失了，只剩下一個人的故事；所有的語言都變得多餘了，只剩下一個人的語言；所有的歌聲都被驅逐了，只剩下一個人的頌歌。我的青年時代就生活在這樣一個怪誕的時代。所以才渴望復活，渴望思想，渴望說自己的話和唱自己的歌，渴望擁有屬於自身生命的故事。

233 中國文化經歷過許多浩劫，但是，摧殘中國文化最厲害的並不是外國人，而是中國人。外國人也有八國聯軍火燒圓明園的記錄，但與文化大革命中國人在「除四舊」的名義下大規模的自我掃蕩相比，真是小巫見大巫。從秦始皇焚書坑儒到項羽燒阿房宮一直到當代紅衛兵洗劫各地寺廟、古蹟，以至把文化載體——知識分子統統趕進牛棚，都說明摧殘中國文化最強烈、最無情的破壞者乃是中國自己的暴君、暴將與暴民。在文化上，中國似乎從來沒有感到外來力量的威脅，真正構成巨大威脅的，倒是自己的同胞子弟。這真是驚人的錯位。

234 迷戀一種角色，刻意把自己打扮得很有知識學問，是當代一些華人作家所做的傻事。其實，文學是生命的事業，不是知識的事業。作家不是學問家，作家的非學者化，是正常的。非學者化即非頭腦化，用頭腦創作而不用生命創作絕不是一流作家。莊子寫出那麼漂亮的千古文章，並沒有讀太多的書。陶潛也說自己讀書總是「不求甚解」。賣弄知識的人，常常被觀念帶到「不知去向」的地方，這還不如用一份誠實去擁抱生活，感悟人生。

235 群眾，這個大概念一直伴隨着大陸幾代人的生活。群眾自然是應當尊重的，但依靠群眾卻有危險。群眾是最容易情緒化的大群體，他們通常只管「生氣」，不管辦成辦不成事。群眾運動也可稱「出氣運動」，雖是大氣磅礴，但磅礴過後卻什麼事也辦不成。近代史上的義和團運動，其實只是出氣運動，真到戰場上與帝國主義作戰，卻一敗塗地。慈禧「依靠」了一回群眾，結果是狼狽逃竄，差些丟了老命。

236 中國知識者的文化，一面是道德文化，一面是功名文化。後一種又可稱為實利文化。「五四」批判了舊道德，這當然好，但新道德則一片混亂。功名實利文化在西方邏輯文化的支持下，走向精密與「理性」。於是中國知識者由此聰明到極點，對仕途、前途的算計絕對準確。怎樣炒作幾篇論文幾部集子，然後怎樣走上文壇，然後怎樣走上半文壇半政壇的創作機構和學術機構，然後怎樣讓作品拍上電影，讓論文登上龍門，並在中央政壇機構上掛個「委員」、「代表」名字，然後爬上社會塔尖，一步一步，都準確無誤，功名的計量化與準確化，是現代功名文化的特點。

237 「幸災樂禍」這四個字，最能說明中國人的文化心理。把他人的災難和痛苦作為觀賞對象，並從他人的苦難中得到快樂與心理滿足，這是怪異的，然而，在中國卻是平常事。文化大革命時一部分人被鞭打，被遊行示眾，痛苦得不得了，另一部分人則在享受「盛大節日」，高興得不得了。這種心理缺少一種機制：不會把他人的痛苦轉變成自己的痛苦。當年魯迅特別憎惡那些觀看同胞殺頭的中國人，他們覺得看槍斃不過癮，要看砍頭才有趣。如果犯人臨行前有阿Q式的大喊一聲的表演，他們就會更感到「過癮」，這種血腥似的自私，也證明中國人缺少某種心理功能。

238 人群固然有熱氣，但也有毒氣。人群相聚，總愛褒此抑彼，對他人評頭品腳。在繁華城市的飯局上，一面有菜飯的香味，一面也有相互攀比的世俗臭味。聽到高升發財的故事，聽到飛黃騰達的傳說，飯菜頓時就變味。其實，不是物質變味，而是心裏中下毒。處於大自然之中或孤獨狀態之中，其好處正是可以迴避人群功名利祿毒氣的熏染。所以，簡化人際關係，擴大和自然宇宙的關係，真有益於靈魂的健康。

239 關懷天下，對於一部分人來說是關懷權力，對於另一部分人來說則是關懷蒼生。知識人天然屬於後者。賈誼和皇帝會面後感慨王者「不問蒼生問鬼神」，皇帝關心鬼神其實是關心自己的權力。以「修身、齊家、治國、平天下」為己任的儒生，他們所關注的天下固然也有蒼生，可惜多半也是帝王的權力，並非老百姓的

「生命個體」，所以總是不顧生靈塗炭支持帝王去打天下，充當所謂「王者師」。王者師的關懷，多半是權力關懷，少有蒼生關懷。

240
莎士比亞的《威尼斯商人》，刻劃了一個夏洛克。這個猶太族商人，極為精明，又極為刻薄，但他卻遵守商場遊戲規則。契約上規定贏了要割仇家腿上一磅肉，就是一磅肉。踐約時對手抓住他的特點，說割切時倘若你多一分或少一分都是違反契約，他就沒辦法了。中國人不是夏洛克，而是韋小寶。韋小寶沒有夏洛克的刻薄，卻比夏洛克精明。最可怕的是他沒有夏洛克的契約觀念，卻滿身滿腹是生存小技巧。將來中國的商場，寧可要夏洛克，也不要韋小寶。這個小寶，肯定要瓦解掉商場的所有遊戲規則。

241
文化大革命的可怕，不在於它製造了一個實際上的人間地獄，而在於它把每個人的心靈都變成一座地獄，這便是心獄。仇恨的大火，暴力的滾石，毀謗的洪水，謊言的岩漿，流氓的毒菌，充塞在心獄之中。那時代的人，手上揮舞着紅色的旗子，口裏唱着紅色的歌曲，心中卻是一片大黑暗。這個時候，整個民族面臨死亡深淵，每個生命個體也都面臨死亡深淵。正是在這個意義上，它才真正是一場共入地獄的浩劫，一場把人類推向末日的浩劫。

242 大國不一定就大方，就大度，就大氣。大國擁有大江大河大草原，山川有大氣，但人卻未必有大氣。大氣是內在寬容度，是內在氣魄。文化大革命規模空前，表面上大氣磅礴，但那是外在幻象，內裏卻是心胸狹窄，每天都在計算他人的「罪惡」與「過失」，連一個字也不放過。許多將軍元帥立下豐功偉績，卻不容許他們有一點差錯。連彭德懷也活活被逼死。整人者的器量之小，令人吃驚。國家一旦小氣，百姓就得吃盡苦頭，思想也就沒有存身之所。

243 高行健劇作《山海經》中的英雄羿，開始被民眾捧為「大王」，十日當空、禾苗枯焦時，民眾需要他，就高呼「偉大的羿啊，神聖的羿」，「我們子子孫孫是你的奴僕，你的子孫」，捧羿為神、為父、為偉大救星。一旦羿射落九個太陽（還誅鑿齒、殺九嬰、繳大風、射猰貐、斷修蛇）之後，天庭震怒，準備懲罰他，民眾見大勢不妙，立即疏遠他。就在嫦娥奔月的夜晚，僅僅因為羿的一聲埋怨，民眾就趁他不備而用「亂棒將羿打死」。此時羿在眾人眼裏，頃刻從救星變為災星，從英雄變成仇敵，從頂天立地的大丈夫變為被天地人所不容的流浪漢。羿的命運，是救星—孤獨者—罪人的命運，而民眾的命運則是永遠正確的英雄謳歌者與英雄審判者。需要英雄時，他們獻給英雄以頌歌，不需要英雄時，獻給英雄以亂棒。古往今來，英雄的悲劇與民眾的喜劇總是相連着的。

244 以往只知道有「佔山為王」者，後來才知道還有「佔心為王」者。現在的帝王比古代帝王更聰明，他們不但要佔領江山土地，而且還要佔領人心與情感。所以便想出交心運動，對心靈實行專政。在故國的六七十年代，我惶惶不可終日，雖未被專政，但內心空間全被堵塞，那時才意識到，心靈已被王者的各種觀念所佔據，心靈的自由早已被剝奪。王者的進化，是王者從對江山的佔有發展到對人心的佔有，又從對人的局部佔有，發展到對人的整體佔有。佔有的徹底性，是當今帝王的統治的「現代性」。

245 人的脆弱，不僅表現在容易受權力、金錢所左右，還表現在容易受風氣、潮流、多數、組織、團夥所左右。權力、金錢都帶誘惑性，它的磁性能對人的慾望起致命作用。而風氣、潮流等也有磁性，也有誘惑力，歸根結柢，也是對慾望發生作用。無論是政治風氣還是市場風氣，都給人展示浮到社會上層的可能性。晚清出了和坤，驚動全國，但薛福成認為這只是風氣使然，不必大驚小怪，那時的風氣是無官不貪，能戰勝慾望的很少。卓越的人物總是站在風氣之外與潮流之外，也總是能從群體的有毒機體上分離出來。

246 當今社會有一種無形的瘟疫正在蔓延，這就是流氓氣和痞子氣。流氓正在發展成一種風氣，一種邏輯，一種爭得話語英雄的策略。流氓本是反正常的生活邏輯，現在卻變成生活中一種必須的邏輯，愈流氓，愈有效益，活得愈好。最激進的流氓活得最好。現今的刊物太多，沒有銷路，它們就利用流氓激進派發狠話，踐踏卓越的作家學者。結果學術刊物也落人流氓邏輯。流氓沒有敬畏，沒有心靈原則。流氓對政府也批判，立場可能最為激烈，但其批判不是基於信仰和信念，而是基於生存策略。他們知道有「狠話」才有刺激，才有市場效應。

247

「人怕出名豬怕壯」，不在於人出了名就被媒體與大眾所包圍而失去時間。最可怕是，出名之後會中名聲的毒，會產生各種幻覺。一旦生活在幻覺之中，就不知道自己的位置，也不知道如何繼續往前走。今天的名人多半生活在幻覺中，權威的幻覺，領袖的幻覺，經典的幻覺，不朽的幻覺，第一才子的幻覺，等等。魯迅當年發現了「商定的文豪」和商定的典籍，今天卻有很多「自定的文豪」和「自定的經典」，這些自定者小有名氣，便生活在文豪的幻覺之中，於是，名人變成了妄人。

248

制度的黑暗與人心的黑暗是互動互補的。從古到今都是如此。制度的專橫使人不敢說真話，失去誠實；使人長滿心機，失去率真；使人只顧自保，失去善良。而人心的虛偽、凶殘、自私，貪婪，又使專制的黑暗加深加濃加劇。專制就建立在人心的黑暗之上。人心愈是陷入自私，制度就愈是腐敗；制度愈是腐敗，人心就愈是失去制約力而更加為所欲為。反之，制度的透明會影響人心的透明，而人心的透明又會迫使制度透明。制度透明與人心透明也是互動互補的。

249

人是何等脆弱，只有誠實的人才能確認。因為脆弱，力量有限，所以救世主不可能由人承擔。人只能聽從內心的呼喚與神的感召，進行自救。有了這種認識，可減少很多虛妄，避免成為妄人；也可減少很多煩惱，避免絕望。人生的快樂與這種人性的認知關係極大。持久的真的快樂不可能從謊言與幻覺中獲得，只能從真實的內心中獲得。陶淵明的詩中有一種衷心的喜悅，一種得救與得大自由的至樂，這全得益於他找到真實的園地和絕不誇大自己的力量。

250

在慘烈的戰爭中，總是可以看到一些人英勇奮戰，身上佈滿刀痕與彈痕；一些人驚慌失措，眼裏充斥恐懼與絕望；還有一些人則溜進剛剛息火的戰場，拼命尋找戰士屍體上殘留的錢財。最後這一沙場景象，讓人想到這世界總是一方在流血，一方在吸血；一方在埋頭苦幹，一方在巧取豪奪；一方在赴湯蹈火，一方在趁火打劫；一方在為真理上下求索，一方在為金錢與權力卑劣地翻雲覆雨，用盡心機。

251

知識分子不幸的是寫了一些文章和書籍後便產生幻覺，以為自己是大師，是經典，是超人。而一旦產生大師經典幻覺，接着就進入權力系統，吆喝學生，揮斥同行，踐踏默默的修道者與修書者。武功強會使人走火入魔，文功強也會使人走火入魔。歐陽峰煉功煉到最後是雙腳朝天用頭走路，完全神魂顛倒，不知天上地下，人文江湖中的歐陽峰，也是如此不知天高地厚，一成文章強人，即成人間妄人。

252

把所有的罪責都推到失敗者身上，這是中國人的一種非常陰暗的文化心理。所謂「成者為王，敗者為寇」，不僅是事實的描述，而且是心理的描述。凡失敗者皆為盜賊。六七十年代，劉少奇一被打倒，舉國都把罪責推到他的身上，連六十年代初沒有飯吃也是他的罪惡。林彪在世時，舉國天天祝他「身體永遠健康」，一旦倒下，則是舉國詛咒他「永世不得翻身」。二十四史都是勝利者修編的史，所以那種短命的、來不及修史的失敗皇帝（如隋煬帝）便變成大壞蛋，所有的髒水都潑到他的身上。殷紂王也如此，他本是一個大力士，且又多情，但他失敗了，所以被罵了二三千年。一代代的痛罵者，彷佛舉着光明火炬，實際上內心卻很勢利。

253

大愛者無須自衛。佛陀與基督無須自衛。他們沒有敵人，也相信自己不可能成為他者的敵人，甚至相信那些誤認為自己為敵人的人最終能發覺自己並非敵人。大愛者以「無為」與「時間」這兩樣看不見的力量化解敵人並拒絕一切暴力。他們理解天理天道，知道無謂的殺戮最後的結果是什麼。倒是基督與佛陀的對手，天天緊繃一根弦。哪怕是幾乎一統天下的羅馬帝國，神經也很脆弱。

254

賭場、妓院全都建立在人性的弱點之上，皇帝的專制權力也是建立在人性的弱點之上。人性普遍黑暗之後，誰也不敢仗義執言，專制一定固若金湯。賭場有賭場慣性，愈贏愈想贏，愈輸愈想挽回敗局，結果是愈賭愈陷入危機。在賭場中最能看清自己有多少慾望，多少理性，有多少自制力，有怎樣的心態。宮廷也有宮廷慣性，寶座愈坐愈有滋味。所有的臣子都想升官封侯，皇帝就利用這一人性弱點把他們變成奴才，以建立自己的絕對權力與絕對威嚴。

255

古代著書立說必須用竹簡，很不方便。與此相應，在竹簡上說廢話也不方便。紙張和印刷術發明之後，寫文章方便得多，廢話也多了起來，但紙墨畢竟有限，人們還是注意言簡意賅。到了現代，電腦發明，排字印刷術飛速發展，話語立即可以化為文字，出版物便到處泛濫。可惜，以往是書籍少，但思想不少，而現在卻是言論文章如江河傾瀉，而思想卻十分蒼白，在汗牛充棟的出版物背後，我們可以發現今天恰恰是一個思想最少、廢話最多的淺薄時代。

256

文化大革命中，中國的青少年多半還不滿二十歲，但都對拉山頭特別感興趣。一拉起山頭，自己便是寨主，便可以吆喝一群「戰友」，指揮一群傀儡。倘若有幾十個或幾百個人，就稱「兵團」，領頭的就自封「司令」。上世紀六七十年代的中國，恐怕有十萬個司令，青少年時代就有「寨主」心態，大小皇帝心態。難怪這些人一旦轉入「學術」，個個都想組織「協會」，並想當個「主席」或「秘書長」，沒有山頭，就活得不自在。可惜，領袖情結是學術與文學創作的致命敵人。領袖追逐的是多數的擁戴，思想者追求的則是突破多數成見的發現，因此，思想者的命運註定是孤獨的。

257 人的眼睛，包括知識分子的眼睛，最大的盲點是只能看到別人身上的黑暗而看不到自己身上的黑暗。揭露人間地獄時，看到這一地獄的各個層面，這自然是明亮的，但總是看不清自己身上的地獄。許多名人自我作傳時，也露出眼睛的局限，他們對自己身上的亮色看得很清楚，美點開掘得很充分，但對黑點卻看不清，也是自身缺陷的色盲。

258 功名心是在社會中滋長的，它不可能在大自然中滋生。大自然天生屹立於名利場的彼岸。人類幸而有大自然的調節，否則早已被功名利祿的慾望毀滅了。人類對大自然的保護，實際上是自我保護，是防止人類社會被燒焦的自我保護。說大自然是人類最可靠的朋友，是指它只能把人類導向生命的本真與本然，不會導向爭名奪利的泥濁世界。

259 中國人總是以「立功、立德、立言」為座右銘，這本不錯，畢竟是志向與抱負。但是，不能太刻意，太刻意去立功，就會走向好大喜功；太刻意去立德，則會導致虛偽。孝敬父母本也是一種德，但有了「孝廉」這種官銜後，便刻意去孝敬，結果便出現「舉孝廉，父別居」的現象。學雷鋒，做好事本也是德，但太刻意，規定每天做幾件並有記錄，這好事就變質；立言也不可太刻意，一刻意，就有腔調，就有姿態，更為糟糕的是，刻意創造經典，總是想到讓人們崇奉，結果便很快地變成教條。

260 沒有信仰的生命是不完整的生命。比沒有愛情的生命更不完整。契訶夫說：「信仰是精神的能力；動物是沒有信仰的，野蠻人和沒有開化的人有的只是恐懼和疑惑。只有高度發達的生物才能有信仰。」動物、野蠻人、未開化的人都有心臟，人也有心臟，但人因為有信仰，使心臟變為心靈。信仰不僅有對神的信仰，還有對真對善對美的信仰。有信仰才有敬畏，流氓的根本特點是沒有任何敬畏，因此，它雖屬人類範疇，卻又是一種不發達不完整的智能生物。

261 課堂上教師孜孜不倦地教導學生要如何求真求善，而政治運動與生存競爭卻教孩子如何作假、作態，玩弄權術心術。五十年過去了，我們發現地表上增加了許多高樓大廈，卻又發現丟失了一種看不見的價值無量的東西，這就是人的尊嚴和它派生出來的謙卑與誠實。當今的中國，不僅男人愛說大話，連女人也愛吹牛皮，而且吹牛時總是朗朗上口，悠揚頓挫，一點也沒有心理障礙與舌頭障礙。

262

中國人形而下的恐懼感幾乎充斥每個日子，怕沒飯吃，怕沒前途，怕丟烏紗帽，怕得罪長官與同事，怕「犯錯誤」和吃官司等等，然而，形而上的恐懼感卻幾乎沒有。伊底帕斯王式的命運恐懼感，馬克白殺了鄧肯王之後的良心恐懼感，杜斯托也夫斯基《罪與罰》主人公殺了高利貸者之後徘徊在犯罪與贖罪之間的恐懼感，全是靈魂的叩問與呼告。中國小說常有「被迫害者」的苦難遭遇，少有「迫害者」造成他人苦難的良心掙扎。因為掙扎的背後正是形而上的恐懼感，中國人徹底唯物之後，形而上恐懼感更是全然消失了。

263

中國知識分子埋頭苦讀，一心想當「王者師」，這既可為王盡忠，也可榮宗耀祖，並且可以滿足虛榮的野心。可惜一旦到了皇帝身邊，乃至當了宰相，卻總是不敢也不能批評皇帝。中國歷史上的王臣謀士，阿諛奉承拍馬屁的居多，因此，多數王者師實際上是「王者奴」，只是高級的奴才而已。今天的中國沒有皇帝，但知識分子們仍有「王者師」的情結，可惜總是不敢直言，不敢批評最高指示，骨子裏仍然是王者奴。

264 欺負活人已不道德，欺負死人更不道德。文化大革命中批鬥「名、洋、古」，許多古人洋人都是死人。古人不合時宜的思想可以批判，但人格不可污辱，雖然他們已進入墳墓，但仍有人格的尊嚴。卓越人物的偉大人格永遠在墳墓之外屹立着。批判孔子的思想，本無可非議，但批孔運動中，把孔子硬說成「大壞蛋」、「巧偽人」，則是欺負。死人開不了口，對任何攻擊都不能答辯，而活人藉着死人永遠的沉默而大加撻伐，羅列罪名，這就是欺負死人了。近年來讀了一些文章，欺負已經去世的錢穆等先生，竟然還得到「海內外」的捧場。

265 流氓常常表現得很激烈，很激憤，常常要拔高腔、唱高調，甚至會表現得很義氣，很勇敢，可是骨子裏卻很怯弱。流氓一旦被送入牢房，多半經不住挨打，壓力一下，就會把五腑六髒全端出來，理由是「專制者無恥，我可以比他們更無恥」。這一理由，是所有流氓國的共同綱領。人的骨骼是靠心靈原則支撐的，毫無心靈原則的流氓自然是撐不住人的精神脊梁。

266 知識者往往有一個大錯覺，以為歷史是語言寫成的。語言所建構的史書，只是史書作者所講述的故事，並非真的歷史。歷史是生命、鮮血、汗水、眼淚、智慧、情感寫成的。無數創造歷史的偉大人物與平常百姓，都沒有留下語言文字，但是他們的生命修為與生命獻予卻是歷史的脊梁與主流。生命重於語言，生命大於語言，這才是歷史的真實。當今學人熱中於寫思想史、文化史、小說史，互相抄襲，不斷重複，其原因也是誤認為歷史是筆下構成的。

267 權勢者很熱中於顯耀權力，連砍頭也要用來「示眾」，以製造一種權力景觀。把血跡斑斑的人頭掛在城頭，對於權勢者是顯耀，對於老百姓是威懾，可是老百姓也喜歡欣賞城頭景觀。自私到骨子裏的觀眾雖讀不懂「權力話語」，卻懂得感官刺激和慶幸自己的安全。文化大革命中，到處都有遊街示眾的景觀，這是比監獄的權力景觀更有威懾性的「革命壯觀」。待到有一天，中國人能把這類權力景觀視為恥辱，中國就真有大進步。

268 作文與做人的根本區別，大約是作文可講策略，而做人卻不可講策略。所謂「寫作技巧」、「文本策略」都是寫作者所必須的。文章中的曲說、隱喻、迂回、通感等技巧是理所當然的。但是，做人一講策略、講技巧，就產生心機、心術、心計，就失去天真、正直與善良。年歲愈大，知識愈多，做人的技巧、策略也就愈多愈複雜，離人的本真本然就愈遠。有些老年人被稱為「老狐狸」，就是做人的策略發展到十分成熟精緻。中國的技術並不發達，許多先進技術是進口的，但心術卻是天下第一，而且正在不斷出口。

269

用頭腦去反思反省固然需要，但不如用眼睛實實在在地看一看自己。魯迅呼喚人們「睜開眼看」，是正視慘淡的人生，淋漓的鮮血，尚沒有呼喚人們睜開眼看看自己。如果用誠實的眼睛看看自己，就知道人性多麼脆弱，人性惡的根子多麼「深厚」。在平常的同質環境中，是一個好學生，一個乖孩子，可是一進入文化大革命的異質環境，就跟着發瘋發狂，都跟着説狠話，説鬼話，説大話。牙齒也磨得很犀利，時刻準備着吃「反動派」的肉，真像狼虎，不像人。眼睛才是致命的反省器。

270

中國急速城市化之後，社會與人也迅速變質，於是，便流傳起這樣的話：男人有錢就變壞，女人變壞就有錢。這是真的，男人一有錢，就胡來、就濫吃、就濫賭、就嫖娼、就破壞法律原則與心靈原則。而女人一旦敢於出賣色相、出賣身體、出賣做人的尊嚴就會富起來。社會一旦變成金錢開動的機器，所謂成功者，其命運既是變富的命運，也是變壞的命運。金錢對人的殘酷無情，就在這裏。

271

説人與人難以相通，並非説身體與身體難以相通，而是心靈與心靈難以相通。動物的身體可以相通，所以才有繁衍。但動物沒有心靈，更沒有心靈的交流。原始人早就能夠性交，這是身體的相通，並非心的交匯。現代人「同床異夢」者很多。「同床」乃是身體的相通，「異夢」，則是心靈難以相通。在性、情、靈三個生命層面上，性最易相通，情次之，靈最難。所謂知己，是在靈的層面上相通相惜的人。

272

文化大革命把中國變成瘋人院，從上到下，中國人全都變成瘋子，只是瘋狂的程度有所差別而已。文化大革命結束了，但在心理上並沒有結束，瘋狂的心態還在繼續。當年的紅衛兵的病毒性語言，還到處都是。當下的中國文化評論者，不僅很善於說大話，還很善於說狠話。除了眷戀自己，對誰都狠。今天偶讀幾本香港刊物，見到批判家們在批判高爾基、羅曼·羅蘭、巴金、冰心、錢鍾書、高行健，其狠話如同瘋話。仔細看看，方明白文化大革命要在心理上、語言上結束，還要許多年月。

273

為了滿足為王為帝的心態，當不了皇帝，就想當教主，當精神領袖，當無冕之王，當博士導師，讓民眾與學生視自己為另一類帝王。等而下之，就自立門戶、自樹旗幟，自造山頭，當「主編」、「主席」，再等而下之，就在家裏當老爺、當「婆婆」。中國俗話說，「十年媳婦熬成婆，無婆不苛。」這婆婆也是王。洪秀全開始只封「東王」、「西王」、「北王」、「翼王」等，到了後來是連管一個廚房的頭頭也稱為王，他自己當了皇帝，也滿足屬下的為王的虛榮心態，所有的人都是王。

274 曾走到苦難的最深處，這個深處，不是肉體受盡折磨，不是但丁地獄裏那種熱湯與冷雪的煎熬，而是心靈飽受語言的轟炸。語言骯髒而暴烈，人類發明的惡毒概念，全投入一顆未經世面的脆弱的心裏。顫慄着，呻吟着，但沒有人看見顫慄，沒有人聽到呻吟。那一時刻，我渴求捱打，渴求流放，渴求死亡，渴求逃離概念的襲擊。有了此次苦難深處的體驗，我再也不看重目標，而是看重手段。我不相信一切使用語言暴力的人所宣稱的偉大目的。

275 專制的感官都是有問題的，其聽覺、嗅覺、知覺都有問題。專制者不是通過自己的眼睛和自己的耳朵去發現社會和感知社會，而是靠秘密警察和包圍在身邊的親信了解社會。走狗的鼻子固然敏銳，但他們不會把聞到和見到的真情真相如實告訴主人，於是主人便變成瞎子與聾子。袁世凱以為洋人和國人都擁戴他當皇帝，心完全瞎了。而心瞎首先是因為眼瞎。他的兒子袁克定想當皇帝，排印假報紙給他看，他信以為真。袁世凱是感官系統先崩潰，然後才是帝座的崩潰。

276 在《獨語天涯》中，我提到日本作家開高健先生寫了一篇老舍之死的小說，題為《玉碎》。近日又讀了趙復三先生悼念李慎之的文章，說李先生一生兩次「心碎」，一次是一九五七年，一次是一九八九年。老舍的自殺，表面上是身碎，實際上也是心碎。不是心碎，怎會走向絕望的深淵而憤然身碎？我看到過許多身碎者與心碎者，但不敢多想。想多了，倘若不會跟着心碎，也會從此心灰。作為個人，若要避免心灰，不妨抗爭；而作為社會，面對那些身心碎片，可以心安理得嗎？

277

說人在進化，可是，人卻愈來愈不完整。除了過度的繁忙與緊張使人變形之外，政治的專制更是使人形神分裂，身心分裂，面孔與生命老是連不上。分裂的身心具有多副面孔，會上一副，會下一副，社會上一副，家庭裏一副，課堂內一副，課堂外一副；在中國一副，在美國一副。在中國罵美國，在美國罵中國；或口裏罵美國，而心裏又想美國。長此以往，就愈來愈見不到完整的人，只能見到人的一半，人的一角，人的一段，或只能見到人的一張皮，甚至幾張皮中的一小張。

278

以往只知大罪有「株連」現象，或滅三族，或滅九族，或滅十族，均由皇帝定奪。生活在二十世紀，又知道現代社會還有黨派鬥爭的株連現象。中國國共兩黨的鬥爭就株連了許多無辜的站在中間立場的中國知識分子和只有文學立場的許多外國作家。文化大革命中兩個司令部的鬥爭，更是涉及無數書生。倘若不是黨派鬥爭，這些書生讀書、教書、寫文章，發表自己的看法，應當什麼事也沒有，可是，大革命潮流卻牽連到所有的文字，所有的書籍。僅「人道主義」一項，被牽連的世界作家就有托爾斯泰、雨果、狄更斯等，批個人主義則牽連到拜倫、克爾凱廓爾、易卜生、愛默生等。

279 跟着大群體喊了大半輩子的「改造世界」和「解放全人類」，到頭來才知道連自己都改造不了和解放不了。人的本性根深蒂固，要改掉一點愛吃紅燒肉的壞習慣都很難，更不用説改造龐大的人世間。自己的身上有千種鎖鏈，僅概念就在腦中造成數不清的牢籠，跨出一步都要費盡心力。一個連自己都解放不了的人，怎麼去解放全人類。「偉大的空話」騙他人，首先是騙自己。想到這一層，才知道啟蒙者不可居高臨下，只知憐憫與同情，不知謙卑與自審。

280 社會變質的徵象種種，最常見的是肩負人間最苦的重擔的工人農民沒法活，而流氓惡棍則活得特別自在。契訶夫手記小説：俄羅斯擁有廣闊的大平原，可是在原野上遊逛的卻是一群群壞蛋。另一常見的徵象是個人面對社會無法活，必須抱成團夥才能活，社會成了青幫紅幫黑幫的天堂。還有一種徵象更致命：講真話沒法活，講謊言才能話，於是，社會成了騙子的俱樂郎和交易所。

281 人既經不起壓迫，也經不起誘惑；既經不起貧窮，又經不起富有；既經不起批評，也經不起讚揚；既經不起失敗，也經不起勝利；既經不起無愛的寂寞，也經不起愛的重擔。獅子、老虎、猩猩等野外居民，既經得起暴曬，又經得起雨打，沒有房屋帳篷，佳餚美食，卻長出強健的身軀，沒有任何盔甲劍戟，卻獨步於荒原大野之中。可是人受了一點苦，一點挫折，便呻吟、嘆息、撒嬌、怨怒、仇恨，甚至去跳河跳海。整部人類自殺史所宣示的真理，便是人是極為脆弱的生物，是最能享受又最怕艱苦的生物，又是最善於用各種面具包裹着恐懼的生物。

282

愛滋病到處都行，從非洲的南端到美洲的北端，從亞洲的泰國到歐洲的荷蘭，都有驚人的記錄。如今中國也有，而且蔓延得很快，所不同的是中國竟有一種特別的傳染方法，就是賣血。河南省揭露出來的賣血傳染事件讓人目瞪口呆。一天可賣兩三次血，針頭用過可以不換，縣官可以提出「若要奔小康，就去賣血漿」的口號，均是中國的特產。貧窮可怕，擺脱貧窮的手段更加可怕。「全息論」從一滴血知全身，而我們從一個賣血的故事，真可知道大半個中原大地的整體血脈。

283

從黑暗的洞穴裏走出來，自然更珍惜光明，從鐵屋裏走出來，自然也更了解自由的價值。但不是每個人都如此。知道洞穴的黑暗與鐵屋的殘酷之後也可能因此而特別害怕黑暗與鐵牢，心有餘悸足以使人的肝膽癱瘓。鐵牢生產鐵漢，也生產膽小鬼。黑洞生產爭取光明的戰士，也生產被黑暗同化的黑暗生物。專制權力下的人性沉淪者與人心黑暗者特別多，便是黑暗同化力的明證。

284

讀完魯迅的《祝福》，不禁要問，是誰造成祥林嫂的死亡？是封建制度？是封建意識？是魯四老爺？是魯四嫂子？是告訴地死後會有「兩個死鬼男人爭」，閻羅大王只好「把你鋸開來，分給他們」的柳媽？那是又都不是。沒有一個具體的兇手，但所有的人又都是兇手。柳媽也是個社會底層的奴隸，但她也造成祥林嫂的死亡，閻羅大王還沒有拿出鋸子，她觀念中的鋸子就先帶給祥林嫂致命的恐懼。身未死，心已先被消滅。中國人是專制制度、專制意識的受害者，又是這一制度永恆的共謀與共犯，可惜自己常常不知道。柳媽是好心人，又是把祥林嫂推向死亡的好事者，可惜她不知道。

285 五四新文比是在對傳統的造反中草創的，因此，一開始就帶着草莽味。近百年來，中國知識界充滿着草莽的衝動。創造社中的成仿吾，被稱為「李逵」。李逵的作風便是「不分皂白，一律砍去」的草莽作風，這種作風發展到六十年代便是「橫掃一切」。草莽中有俠義精神，也有流氓精神。「俠義」一旦不靈，便剩下流氓。五四時期，北京大學校園子多草芥精神，清華大學則沒有。他們除了留下「獨立之人格，自由之精神」外，還留下結結實實的精神遺產，可是，這個大時代只有草莽和半草莽才能活，純粹的學者卻很難活，結果王國維這種文雅的天才投湖自殺了。

286 人被閹了之後，心理必定不健康。許多太監酸勁特別大，一旦掌握了權力，慾望比正常人還強烈。政治運動閹割人的精神之後，總是要造成大量的精神病態。被迫害者往往變成「補償狂」，要求物色、女色來補償。中國當代作家張賢亮的小說《綠化樹》與《男人的一半是女人》，其男主角就是補償狂。這種狂人犯的是被迫害綜合症，人不僅失去社會性，而且失去生物性，雙重被閹也雙向尋求補償。尋求補償，把自己當作債主，常有高利貸者的貪婪。

287

一個國家不能侵犯另一個國家，這種國家主權觀念已經成為「常識」。但是一個人不能侵犯另一個人的精神主權和心靈主權，卻不能成為社會的「共識」。尤其是中國，這種侵犯是「常事」。因為是父親，就可以剝奪兒女選擇的權利；因為是師長，就可以侵犯學生思索的自由；因為是長官，就可以強制下屬彙報思想，打破其獨立的精神生活。所謂奴隸，就是放棄一切精神主權的人；所謂主子，就是隨意踐踏他人精神主權的人。當今的中國，到處都可見到心靈主權的侵略者與剝奪者。

288

「槍打出頭鳥」，不僅是一種爭鬥策略，對於中國人來說，這又是一種心理病症。誰傑出，誰出類拔萃，誰是佼佼者，就打誰。這種行為背後是對傑出者、成功者的嫉妒心理。中國人並不認為嫉妒是罪惡，頂多只承認是缺點。嫉妒心發展到今天，不僅舉世無雙，而且根深蒂固。中國的英雄許多是劫富濟貧的英雄。他們的「造反有理」，也與他們的「財富有罪」的觀念連在一起的。明目張膽搶劫他人的財富，還覺得是天經地義的好漢行為。劫富濟貧的造反者，其心理根源是對有錢人的嫉妒。把有錢人統統打倒，嫉妒心理便得到最大滿足。中國人不僅嫉妒有財者，而且嫉妒有才者。高行健獲得諾貝爾獎之前，誰也不得罪，獲獎之後，則幾乎得罪了一大片名作家名學者。

289 古代儒者，本是學者，但一心想當王者師，忙於通過帝王（或依附帝王）建立他們的道德王國或直接為帝王出謀劃策，遊說於諸國之間，這就使學問進入權力鬥爭系統，學術變成權術，學士變成術士。當今儒者進入權力系統而成為謀士，而在權力系統門外的，除了自己著書立說之外，還很講究做人謀略策略，一面寫文章，一面攻擊前輩與同行，其大話與英雄氣概，貌似直率，其實是踐踏他人，抬高自身的一種「術」。生存策略一流行，「學術」就會變質為「術學」。

290 魯迅筆下的孔乙己，是一個無助的靈魂。他被社會拋棄，被社會嘲弄，還以自己從裏到外的傷痛讓社會觀賞。他本是個知書識理的小知識者，只因為在人生路上，沒有穿過一道鬼門關（沒有考中舉人或秀才）而遭此下場。社會如果沒有別的出路，只有通過科舉做官這一條路，科舉就變成鬼門關。過關了便是老爺，不能過關的就是孔乙己，被打斷了一條腿也沒有人理會的孔乙己。魯迅說祥林嫂是「被人們棄在塵芥堆中」的人，孔乙己也是這樣的人。能登上榜的是一條龍，不能登上榜的是一粒塵芥。塵芥的價值只是用自己的悲哀供大家去咀嚼。中國的名利場何等凶險，孔乙己告訴你一切。

291 清乾隆時代著名的貪官和珅，是個過目成誦、極端聰明的人，但他當了二十多年的大官，累積的財產竟有田產八十萬畝，當舖七十五座，銀號四十二座，赤金五斤八十兩，金元寶一千個，銀元寶一千個，古玩舖十三座，玉器庫、綢緞庫、洋貨庫各二間，估計財產總額達八億兩，相當國家三十年稅收總額的半數。這個數字啟示我們：人的慾望是個無底的深淵。和珅被嘉慶賜死時年僅四十九歲，倘若他不被處置，繼續當官，貪污的數字還會更加龐大，這又說明：慾望的深淵不可能被填滿，只能等待新的權力與金錢繼續填充。這就是惡的無限。叔本華所說的人生悲劇，就是慾望的深淵永遠不能滿足，永遠只等待補充、等待新的注入的悲劇。

292 在中國，「假大空」是很容易成為英雄的。當年暢銷小說的主人公「高大全」，與其說是完美英雄，不如說是空頭英雄。與此相反，做了實事的人卻很容易背上罵名。在近代外交史上，做了最多實事但又背上最多罵名的是李鴻章。他到日本去講和，忍辱負重，直到子彈打壞他的一隻眼睛，日本才肯妥協簽約，可是回國後，舉國都罵他。其實不是他的錯，而是國家的錯。他替國家承受恥辱。中國人太聰明，所有的人都不肯承擔恥辱，便把恥辱往一個倒霉的、做實事的人身上推。梁啟超寫數萬言的《李鴻章傳》，為一個倒霉的做實事的人仗義執言。梁啟超超越了黨派的眼光，用「做實事」的尺度評量歷史人物，這是正確的尺度。老子在《道德經》中說，君子應「受國之垢」——即承擔國家恥辱，李鴻章正是這樣的人。

293 政治家們面對成堆的社會問題會感慨「積重難返」，而思想家與文學家則會感慨中國文化心理的「積重難返」。兩千多年在中國人心中積澱的污垢太重，民族集體無意識受了太多的創傷，於是，形成賈母垂簾文化，形成阿Q虛妄性格，形成牛二潑皮脾氣，形成李逵「排頭砍去」的嗜殺作風，形成把一切外來先進事物都變形變質的黑染缸，這種集體無意識世界的「積重」才是最難改變的。制度的更新，是幾年幾十年的事，但集體無意識的改變，則不知需要多少代人的時光。魯迅的悲觀，就是看到這一層的積重難返。

294 當今有些「反專制」的知識者，其專制人格真讓人害怕。他們使用的語言充滿暴力，其武斷、獨斷、專斷和不講理，令人目瞪口呆。對於他們，其實首先不應當是反專制，而應當是反其被專制所毒害的自身。或者說，對於他們首先不是去療治專制制度，而是療治專制在自己身上留下的病毒及專制人格。現代的激進革命論者，往往都是專制制度的帶菌者，倘若他們革命成功，肯定也是暴君，肯定照樣是實行專制，只是口號與名目有所變更而已。幾千年連綿不斷的專制病菌，進入中華民族的骨髓，破壞了健康的集體無意識，使專制者與反專制者的文化心理竟然異形同構，內裏都是唯我獨尊的虐待狂。

295

暴力有簡單暴力與複雜暴力之分。殺戮、戰爭、用刀槍斧鉞消滅肉體，屬簡單暴力。用語言打擊摧殘人的心靈，則屬複雜暴力。這是比刀槍還可怕的語言「攻心」。中國的政治運動與文化大革命，有簡單暴力，但主要的手段是複雜暴力。人類社會中出現過各種形式的「心靈專政」，從宗教法庭到政治法庭，形式不同，但都使用同一種武器，這就是複雜暴力。史學、哲學、詩、散文都曾進入過複雜暴力的共犯結構，參與過對人類心靈的無情打擊。許多中國詩人的詩歌力度，其實是詩歌的暴力度。

296

孫中山講「民族主義」時是有理想的，有信仰的，那是共和與自由的信仰。今日激進論者，講民族主義都是一種生存手段，其要義是通過一個大群體來放大自我，以掩飾自我的怯懦與卑微。愈是怯懦與自卑，愈是把群體放大。倘若把民族主義當成治療心理不平衡的藥方，那麼，心理愈是怯懦，愈是需要把民族群體放大的。有人說他們是民族自大狂，其實是自我放大狂。他們與那個被描述的「民族」、「國家」並無太大關係。

297

中國人在單獨存在的時候還是很有力量的，尤其是想到自強不息要靠自己的肩膀而不是靠上帝的肩膀的時候。可是兩個人在一起時便開始彼此消耗口舌，到了三個人在一起的時候往往就出問題，所謂「三個和尚沒水喝」並非戲言。倘若十個人在一起，就更難辨，中國語言中的「扯皮」、「內耗」、「互相拆台」等現象就從此開始發生了。此時往往不是一加二等於三，而是一加二等於一，甚至等於零。善於內鬥，一直是中國人的長處。所以二十世紀在中國土地上的戰爭，最「壯觀」的還是打得天昏地黑的內戰。

浮華批判

298 誰也不能給人類社會一個偉大的理想社會的許諾。凡是這種許諾，都被證明是謊言。作出這種許諾的人都是企圖扮演上帝的人。上帝只有一個，它是否存在，尚有爭論，而第二個上帝肯定是假的。自從尼采宣佈上帝死了之後，二十世紀的人類社會便產生許多妄想狂，這些妄想狂不僅以為自己掌握了終極真理，而且還為人類設計終極社會模式。最致命的是設計之後又急於實現「終極社會」那種大而無當的藍圖。於是，妄想便化為妄行、妄為、妄動、妄進，許諾變成了災難。二十世紀可說是妄想狂欺騙人類折磨人類摧殘人類的瘋瘋癲癲的世紀。

299 誰料到，新世紀第二年的九月十一日，會有人搶奪客機撞碎舉世矚目的紐約摩天大樓；誰料到，這之前蘇聯與東歐的政權會如此雪崩似瓦解；誰料到，這之後又引發阿富汗戰爭與伊拉克戰爭；誰料到，一場沙士的細菌會弄到東方世界充滿恐慌。可見，科學家可以發現未知的原理，但人文學者卻很難預知未來。以往對大同世界和其他烏托邦世界的預言，今天看來全是夢幻。預言家變成謊言家，先知變成騙子。夢幻消失之後，人們才意識到，一切對未來社會的總體設計均極不可靠。可靠的只有當下實實在在的工作與生活。

300 紐約突然停電十幾個小時，世界最大的城市頓時一片漆黑，連一向燦爛奪目的時代廣場也一片漆黑。電影、電視、電梯、電冰箱，廚房、工廠、機場一律停頓，最可怕的是地鐵，除了黑暗，還有酷熱與恐慌，人們驚叫着，摸索着地鐵之門，那一刻，才悟到地鐵之門與地獄之門一樣沉重。電，是現代文明的標誌之一。它戲弄了一次現代人，讓他們知道，人對現代文明已經依賴到何等程度——人在現代文明面前是何等脆弱。停電揭示了人類的大悲劇：人用自己的雙手創造了現代文明，卻緊緊地被現代文明所掌握、所控制、所主宰。老是嘻嘻哈哈、天天觀賞肥皂喜劇的美國人，這回突然有了點悲劇感。

301 在紐約、洛杉磯、香港這些浮華城裏，看到了繁華世界其實也是螞蟻世界。窮人與富人全是螞蟻，白領子與藍領子只是不同顏色的螞蟻。過去以為，資本主義社會對窮人殘酷，現在才知道它對富人也一樣殘酷。一念之差，億萬富翁頃刻就會變成乞丐，連房子也得立即拍賣。許多商場豪客，股災一來，便縱身一跳，碎屍於高樓之下。在財富競爭面前，富人與窮人一樣得不到喘息。把貧富懸殊描述成富人對窮人的剝削似乎過於簡單。懸殊不是倫理狀態，而是生存狀態。

302 人是世界的中心，這幾乎是不待論證的真理。但俄國的思想家別爾佳耶夫作出特別的補正，說個性才是世界火熱的中心。他說得很好，的確，沒有個性，就沒有創造資源，就沒有世界的繁榮和燦爛。可是，今天這一命題正在被另一命題所取代，新命題是：「財富是世界的中心。」財富正在主宰人、支配人、統治人、壓迫人。現實的實利正在吞噬個性與良心。所有的人都在圍着「財富」這一絕對的中心旋轉。所有的智慧都消耗在製造財富的機器上。不服財富所統治的人也有，但很稀少，這些稀有生命就叫做精神貴族，可他們只在世界的邊緣。世界火熱中心的位移，可能是二十一世紀最重大、最基本的事件。

303 知識所創造的高級技術，把人推出地球，走上月球與宇宙空間，這確實是人類可以引為自豪的。但是，技術的發展，現代化的浪潮，卻又把人推出人文世界和心靈空間。人正在成為人文世界的陌生人，這卻是無法驕傲的。人一旦被推到人文世界的門外，就發生大變形，所謂「單面人」（馬爾庫塞）、「機器人」、「現代肉人」等，都是人文世界的門外人。當下正在激動美國的影片《廿二世紀殺人網絡》中的電腦人，也是門外人。這種門外人的特點，用斯賓格勒的話來描述，是只有長度、寬度而沒有深度的人。

304 現代社會以財富為中心，人對物質對金錢愈來愈敏感，對心靈的感覺卻愈來愈遲鈍。善良不能贏得金錢，誠實不能贏得金錢，謙卑不能贏得金錢。於是，善良、誠實、謙卑不僅沒有市場，而且沒有立足之所。與此相關，對人類的信賴與愛，不僅不能贏得金錢，而且也常常被騙走金錢。於是社會以為善良人與謙卑者是傻子，人們紛紛迴避崇高，迴避善良，迴避誠實，迴避謙卑，迴避對人的信賴。於是，以金錢為核心的社會就變成以騙子為核心的社會。

305

有人把美國投入廣島和長崎的兩個原子彈作為二戰的終點符號，有人則看作是一場世界性屠殺的延長符號。一顆炸死了七萬二千人，一顆炸死了八萬人。但它不過是五千萬死者的零頭而已（二戰有一千五百萬軍人陣亡，三千五百萬平民死亡）。其實，大戰的「延長符號」不僅是兩顆原子彈和十五萬生命，還有其他炸彈包括生化炸彈造成的畸形胎兒，還有遍佈地球各個角落的傷兵與殘廢人，被迫充當軍妓的婦女，在恐怖中神經斷裂和失去記憶的孤兒，還有永遠抹不掉的仇恨與陰影，我在越南胡志明市的戰爭博物館裏看到的幾萬中毒的畸形胎兒的樣本，才知道戰爭的延長符號，原來是長得不可思議。

306

無論是在紐約、芝加哥機場，還是在舊金山、丹佛機場，我都喜歡在候機室裏觀賞飛機的升天入地。幾乎每一分鐘都有一架飛機升起降落，再加上正在空中盤旋等待指令的「雄鷹」，真讓人目不暇接，這才想到既有活力又有秩序，是最難得的。不僅機場如此，恐怕一個國家也是如此。美國最難得的正是社會充滿活力又有秩序。為了保持活力，美國謝絕平均主義，允許貧富懸殊和激烈競爭，但是，在這個國度裏，富人可以活，窮人也可以活，所以這片土地很難發生暴力革命。

307 世界的眼睛被科學技術武裝之後，可看到千里之外萬里之外甚至億萬光年之外。世界的眼睛明亮到驚天動地，可惜這雙眼睛在不斷仰望高樓大廈和萬里星空的時候，卻看不見社會的底層。中國似乎也是如此。此時中國大地上高樓聳立，底層卻沒有人注視，到處都找不到反映底層的刊物與報紙。底層沒有通向世界瞳仁的渠道。記者的攝影機追蹤着領袖、富豪與名流，不屑把鏡頭轉向貧窮的山村與礦井。世界的眼睛固然明亮，可惜太多勢利眼。

308 「惡是歷史的槓桿」，是指慾望可刺激人的熱情和調動人的潛力，從而成為歷史發展的一種動力，並不是指惡是歷史的創造者。惡人惡行不可能推動歷史前進。如果「卑鄙」也是歷史的槓桿，社會仰仗而「卑鄙」苟活，人類還要這個「歷史」和「社會」幹什麼？「造反有理」的命題如果變成造反所使用的一切卑鄙手段都合理的命題，那麼，這種造反還有什麼意義？「手段」其實比「目的」更重要。卑鄙手段，在任何層面上都不是好東西，在任何時代都不不可能導致偉大的目的。

309 美國是個喜歡作夢的民族，美國人喜歡說「夢真的成真了」（Dream comes true）。或中個大彩，或當上明星，或變成億萬富翁，或找到美女做妻子，或找到英雄做丈夫，都是夢的實現。美國人的夢，其特點一是很實際，二是不傷人。人總得有點夢，否則人生就太沉悶。美國人的夢雖不壯麗但很快活。中國人也有夢，但喜歡做大夢，做豪夢，如皇帝夢、神仙夢、世界大同夢。這種夢不僅不實際，容易變成烏托邦，而且常常變成了強制人傷害人的名義和手段。為了實現大夢，權勢者剝奪人的一切小夢，所以想當明星與英雄的，均被指責為個人主義者，甚至對其實行全面專政。而專政的理由是為了未來的共產主義夢想。

310 整個地球向物質傾斜之後，世界爬滿金錢動物，這是早已預料到的。但是在中國急速城市化的浪潮中，卻產生兩個始所未料的階層：一是「花天酒地」階層，由官僚與暴發戶組成；一是「行屍走肉」階層，由追逐品牌和追求刺激的時髦年輕人組成。我在《人論二十五種》書中曾描述過「肉人」，這兩個階層均屬肉人。所謂肉人，是只有肉體而沒有靈魂的人，或者說，只知物質刺激、不知人生根本的人。美國的現代化，曾產生「垮掉的一代」，中國的現代化，很可能產生「垮掉的兩代」。

311 市場對知識分子的毀滅是把知識分子逼上「自售」之路。要自售，就得有廣告。廣告要做得好，就得誇張。於是，知識分子便忙了起來和誇張起來。或立山寨，自稱寨主；或編名人辭典，把自己放入典藏；或編文集、經典集、大師集，把自己拔高到文化山尖。這一面是製造形象以利銷售，提高價格；一面又製造幻覺，自我安慰或互相安慰。魯迅早就描述過「商定文豪」，商人為了市場效益，炒作出一批文豪；文人為了市場效應，也在把自己定為「文豪」。由於皇帝不靈，「欽定」已不值錢，便靠「商定」或「自定」。如今東方大地上到處是自定大師與自定經典。

312 在法國，也許是因為有羅浮宮，我們才覺得那裏離古希臘不遠，其實不僅是羅浮宮，還有它的整個人文傳統，都使我們覺得那裏鄰近希臘。而在美國，則常常感到這個技術高度發展的國家離古希臘很遠，而且離建國初期的惠特曼、梅爾維爾也很遠，甚至離五十年代的大戲劇家奧尼爾也很遠。北美的文化列車正在向粗俗的地帶奔馳。不知道什麼時候，美國人才會恢復記憶，轉過身去擁抱一下自己的先賢。

313 一種文化精神的消失，需要時間才能發現出來。歐洲希臘精神的消失，直到十四世紀文藝復興時期才充分發現，也才有回歸希臘的呼喚。美國二百年來在文學上所產生的文化精神正在消失，但美國人尚未充分發現。梅爾維爾《無比敵》裏的宗教精神；梭羅《湖濱散記》中的逍遙精神；奧尼爾戲劇中的悲劇精神，傑克·倫敦的野性呼喚，福克納的人性呼喚等，似乎已成遙遠的故事。它們似乎已經不在新一代美國人的血脈中繼續。談起這些故事，他們十分陌生，也不想再進入這些經典。牽動他們感官神經的是高科技的行動影片，只有感官刺激，沒有心靈訴求，讓人說不清此時美國的文化方向。

314 人有時會突然感到特別虛空，不知道要做什麼，也不想做什麼。這個蒼白的瞬間就是缺乏創造的瞬間。虛空時並非什麼都沒有，至少有焦慮與恐懼，而驅逐這恐懼與焦慮的，恐怕也只有神與魔。神即創造熱情，魔即感官刺激。倘若沒有創造熱情填充心靈，那就只能去尋找感官刺激。創造與刺激，是虛空的兩條出路，重大的抉擇就從這裏開始。

315 《魯賓遜漂流記》寫一個人在汪洋大海的孤島上生活，在荒涼中重新創造一切。然而，正是在孤軍作戰的絕境中，人表現出生命的力度。而今天，現代文明發展到一切人的機能都可以由機器替代，人對現代文明的依賴愈來愈多，車輛的普及使人的雙腳不會走路，電腦的普及使人雙手不會寫字，人類生命顯得愈來愈脆弱。自然科學家忙於尋找其他星球的生命，不知有沒有發現地球上的人類生命正在萎縮與退化。

316 美國社會捧歌星、捧影星、捧球星、捧一切有金錢價值的明星，捧得天旋地轉，如果不是「九一一」劫難，他們就不會想到支撐美好世界的是一些默默無聞的消防隊員。不會想到真的英雄並不只是那些金光閃閃的「偶像」。「九一一」對於美國的意義，就在於喚醒美國人對美國建國初期的基本價值的記憶，這是關於人的記憶，而不是關於金錢的記憶。

317 專制會壓迫人，可是自由卻會寵壞人。在美國就可以看到許多被自由寵壞的青年男女。當年所謂「垮掉的一代」，其實是被寵壞的一代。被自由所寵，便濫用自由的權利，正如被父母所寵，便濫用父母的錢財。於是，就玩樂，就吸毒，就過着沒有精神追求的生活。當今的美國少年，在充分自由的環境中，沒有約束，也沒有人告訴他們何為人生的根本，謀到一份職業之後，便無所用心，無所憧憬，生命失去光澤，靈魂失去方向。自由帶給人歡樂，也帶給人蒼白。現代肉人，便是被自由寵壞的人。

318 中國人的藝術品味原是很精緻的，畫有九品，詩有二十四品，但是，到了當代，卻被兩樣東西弄壞了品味，一是政治，二是市場。美國人的品味早已被市場弄得既粗糙又膚淺，所以他們寧可看「肥皂劇」，也不看奧尼爾。「百老匯」寧可要「阿依達」，也不要莎士比亞。而中國市場化之後也正在步美國的後塵，寧要

「烏鴉」，也不要「金薔薇」。美國的許多肥皂劇，近乎垃圾，但許多美國人的鼻子似乎連垃圾的味道也聞不出來。

319

當解構主義者在解構一切的時候，他們是否想到：人類的基本價值觀念是不可以解構的。二十世紀曾經解構過「愛」。一提起「愛」，就說沒有無緣無故的愛，就說只有階級的愛沒有超階級的愛。愛被解構之後，剩下的便是仇恨，便是冷漠，便是猜忌，便是到處泛濫的鬥爭哲學。真、善、美一經解構，精神便無處立足之所，心靈原則也全都消失，剩下的只有生理上的心跳。王朔說：「玩的就是心跳」，相當準確地道破解構主義的邏輯結果。

320

高科技的發展，經濟競爭的空前劇烈，生活的高壓，正在把人類逐出精神家園。亞當與夏娃的子孫，誕生後不久就在電腦遊戲機面前度過他的童年，進入社會後就在物質中打滾。一百年來左翼知識分子一再嘲諷文人學者躲在象牙之塔之中，可是當今的現代城市卻連象牙之塔也找不到。市場覆蓋一切，機器佔領每一個角落。人類只有第一次被驅逐出伊甸園的記憶，忘了現在正在第二次被驅逐出伊甸園，這個伊甸園，就是創造精神價值的人文空間，包括象牙之塔。

321 說起平等，中國想到的是均田地，均房屋，均財富，是有福同享，有難同當，是大鍋飯，是鐵飯碗。而美國說的平等，則是「機會均等」，人格平等。只管在機會面前人人平等，不管在同等機會競爭後的不平等。於是，社會有了動力。美國如同大瀑布，承認落差，落差中便有力量產生。美國是個有動力的國家，其動力既是不平等，又是平等。

322 一個國家，只有當它是美好幸福令人留戀的國度時，它對國民的驅逐、放逐、開除國籍才有威懾意義。倘若國家如同牢房，活着如同囚犯，那麼，驅逐等於解放，開除等於給予被驅逐者以日夜渴求的自由。被開除出牢房的囚徒是真幸運，他們大約不會計較「開除」之名，而會樂於享受走出牢房的快樂。可見，國家的權威與國家的美好是緊密相連的。國家值得愛，國民才有對國家的眷戀，被放逐的國民才有遠離家園的哀傷。

323 李澤厚和我合著的《告別革命》並非否認以往革命的歷史合理性，只是在說，流血的暴力革命並非歷史的必由之路，人類不一定要在鮮血匯成的江河中把歷史的航船推向前方。這是在探討人類的基本生存方式，即人類可不可以通過協商、調和、妥協、改良等非暴力的方式來改變黑暗困境和爭取光明前程。十七世紀英國革命時代（查理一世時期）的貴族人文主義者，也是舊皇朝衛護者斯揣福特

（Strafford）在斷頭台上轉過身來對着台下的革命群眾懇切地說出最後一句話：「我請每一位聽見我說話的人真誠地捫心自問一下：是否必須在血泊中才能開始新生？」[2] 英國在此次大流血之後的三個多世紀，沒有再發生暴力革命，也許這位思想者的呼籲已轉換成英國民眾的內心呼喚。《告別革命》面對歷史和面對今天所提出的問題，正是斯揣福特最後的提問。

324

雖沒有進過監獄，但熟悉監獄之外的人間大牢房。從一九六六年開始，我就體驗過十年的大牢房生活。在此廣闊牢房中，所有的人都在互相監視和互相揭發，每個人都在「請示彙報」，既自我彙報也彙報他人。十年後反思，才想清這種牢房的特點是：人人都是囚犯，人人又都是看守。或者說，互為囚犯，又互為看守。每個人都可能隨時出賣別人，也隨時都可能被別人出賣。牢房底層如此，牢房的高層也是如此，那些坐在國家尖頂的大人物，也互為囚犯又互為看守。儘管身為大看守，也沒有安全感。看看這種人間景觀，雖沒有進過監獄，卻也明白了監獄的真諦。

2 〔奧〕弗里德里希・希爾，趙復三譯：《歐洲思想史》（香港：中文大學出版社，2003），頁470。

325 專制不僅使政治反對派轉入地下，也使人的真實心靈轉入地下。十六世紀中葉的西班牙，政府和宗教都黑暗，能表達抗議的途徑的只有文學藝術，但抗議又不能公開，作家只好借妓女、乞丐、小偷、蠢人來說話，這些「罪人」成為掩蓋作家的面具，整個寫作手法就如動物寓言。千萬種面具構成一層地表，殘存的心靈就在地下呻吟與喘息，只有明白人能聽到他們內心的歌哭。

326 專制不僅使人的文字語言變得極端謹慎，而且使人的身體語言也變得極端謹慎。皇帝面前，高官們的身體姿態是一點也馬虎不得的。宮殿的地板堅硬得像鐵板，可是站立在鐵板上的大臣們個個如履薄冰。魯迅說，專制使人變成死相，這是真理。暴君的眼色可以決定一個官員的命運，官員們怎麼能不看眼色行事？怎麼能不戰戰兢兢？看看大臣們的一舉手一投足，就知道他們全身的各部位都帶着鐐銬，從外到裏都進入了一個金碧輝煌的牢獄，腦入獄，心入獄，眼入獄，鼻入獄，肝膽入獄，所有的姿勢都入獄。

327 生活充滿幻覺、幻相，「永恆」這一理念也可能成為幻覺、幻相，因此追求「永恆」的藝術家又時時在尋找瞬間，捕捉瞬間，深入瞬間，使永恆獲得實在性與具象性。沒有瞬間，就沒有永恆。生命就在深入瞬間中打破一剎那和一萬年的界限，讓時間失去屏障。天才與庸眾的區別就是前者有瞬間感，後者沒有。天才的生命，常在瞬間中顫慄、奔突、呼叫，天才的靈感，就是在瞬間中打破時間的疆界把握永恆，並把永恆化為美的形式。

328 語言的變質是人變質的徵兆。由於意識形態的入侵與階級鬥爭硝煙的浸染，漢語變得愈來愈誇張，愈來愈不誠實。歐化只是改變漢語的形式，意識形態化則改變漢語的品質。當今有許多戰鬥文章，先不論立場是否正確，其語言首先不誠實，處處是大言欺世的文字。語言失去溫柔敦厚，不是語法語氣問題，而是人從「君子」滑向「騙子」的人性退化。

329 契訶夫講了一個故事：有一個名叫巴維爾的當了四十年的廚子，他討厭自己所燒的東西，而且從來不吃自己所燒的東西。中國的古聖賢似乎早已發現類似這位廚子的怪物大有人在，所以才有「己所不欲，勿施於人」的訓示。在當代理論界，則到處都可以發現這樣的廚子。一位在理論雜誌當編輯的朋友，該雜誌發表幾篇批判我的文章，他竟不知道。我取笑時，他正經地說：我不讀我們那個刊物，只讀小說和戲劇。他還告訴我：有好些喜歡追逐女子的批評家一直在批判「人性論」。

330 自由與安全總是衝突。在惡劣的人文環境中寫作自由與安全也衝突。為了安全，為了不受批判和避免言論罪，作家變得世故，變得油滑。世故與油滑是安全的秘訣。除了掌握安全秘訣之外，還講究安全系數，可是，安全系數愈高，內心自由度就愈低，真誠的語言也隨之愈少。作家之所以需要傻一點，就是傻了才不會被安全秘訣與安全系數所牽制，反而保持了自由而真實的內心。

331

漂流海外後不久，我寫了《逃避自由》的散文，表述自己不再依靠群體而獨立面對世界時的恐懼。從那個時候起，我明白：不自由有壓迫感，自由也有壓迫感，而且是更沉重的壓迫感。自由意味着要獨自面對社會，獨自承受各種重擔。沒有能力，就沒有自由。自由逼使人不斷作出抉擇，逼使人要長出三頭六臂對付各種挑戰。存在主義關於虛無的焦慮，乃是擁有自由之後的焦慮。被囚的奴隸不會有這種焦慮。然而，正是這樣壓迫感與焦慮，推動我獲得廣闊的內心空間，此時，我所抒寫的正是焦慮的意義。

332

在美國認真看看經濟競爭，便看到競爭者在機會面前人人平等，而勝利者與成功者，通常都有兩項秘訣：（一）不重複同行習慣的思路，盡可能「原創」，（二）質量絕對優先。以第二條來説，在今日美國經濟處於低迷的時候，日本的「Toyota」汽車照樣通行無阻，它在美國已有兩個大廠，還準備再建立新的大廠。過去它佔有美國汽車市場的四分之一，現已達到五分之二了。美國本身生產「波音」大客機，也照樣訂單不斷。在這些勝利者的智慧統計表格上，數量等於零，質量等於一百，唯有質量能征服世界。這就是質的自覺。

333 該如何注解自由？闡釋的書籍那麼多，眾說紛紜，但都承認自由與「不依附」相關。不依附任何勢力，不依附任何集團派別，包括不依附國家與家庭，甚至也不依附於友情與愛情。一依附就喪失自由。健康強大的人格靠思想、智慧、力量獨撐孤寂的靈魂。對人間充滿情感並不等於依附人間的各種關係。為了自由，常常不得不與社會拉開距離，包括與國家拉開距離，也與家庭朋友拉開距離。保持距離不是不要友情親情，而是不被這些友情親情所牽制而贏得自我選擇與決斷的可能，保持距離也不是沒有真誠，恰恰是不被他者牽制而獨立發出真誠的聲音。

334 對有錢人特別是對大富豪的憎恨似乎是人類的普遍情感。革命就是要打倒大富豪，所以革命是一種大快樂，它的確可產生大快感。馬克思說革命是無產者的盛大節日，確實如此。但現代社會是建立在複雜分工的基礎之上的，大富豪即大老闆的作用卻不可替代。在鄉村時代，殺了地主，農民可以照樣種地，這比較簡單，可是殺了富豪老闆，其市場、管理、技術、資源等卻不是一下子可以替代的，因此革命之後的無產者除了丟掉自己身上的鎖鏈之外，還可能丟掉手上的飯碗。

335

人類應當如何相處，應當選擇怎樣的基本方式活下去，這仍然是個大問題。

人類的資源有限而慾望無窮，衝突總是會有的。衝突時是用「你死我活」的辦法解決好還是用「你活我也活」的辦法解決好？換句話說說，是用暴力與毀滅的方式解決好，還是用妥協與調和的方式好。生存的基本方式決定人類的基本命運。可惜，人們常常忘記，和平時期最壞的日子也比戰爭時期裏最好的日子好。六十億人類的雙手至今還沒有力量給暴力革命和一切戰爭畫一個終點號。人類至今其實還很幼稚。

336

孤獨者安於孤獨甚至覺得可以享受孤獨，才有自由。孤獨者倘若不安於孤獨，覺得孤獨乃是一種痛苦，由此怨天尤人，以為被世界所拋棄，那就沒有自由。反社會的人格，有的品行高尚，有的極端自私，自私者唱着誰也跟不上的高調，煢煢孑立，也標榜孤獨，其實這是把孤立當作孤獨。這種「孤獨者」並非自由人，倒往往是個踐踏他人的暴君。

337

權力對人的腐蝕是雙重的，它一面腐蝕當權者，使他們逐步被慾望所主宰，以慾望代替良心。在權力的腐蝕下，當權者的人性消失，最後異化成貪婪的政治生物。另一面，權力又腐蝕沒有權力的被統治者，權力的高壓使他們失去誠實，為了在強權下生存，就軟化自己的骨骼，矮化自己的人格，奴化自己的靈魂，變成只會適應環境的無能生物。

338 「苦行僧」與「花花公子」是社會角色的兩極。社會總是敬重苦行僧，鄙薄花花公子。歷來的苦行僧都默默修煉，不干預社會，但是，如果有聖人般的苦行僧站出來，要求全社會以他為榜樣，人人都必須當苦行僧，那麼，這位苦行僧就會蛻變成專制主義者。儘管苦行是值得尊敬的，但用苦行主義統一社會的生存方式，卻專斷而荒誕。

339 良知只聽從內心的呼喚，不聽從權力的命令。良心最柔和，它在人間苦難面前，在孩子與女子的哭泣面前總是不安，煩惱，受不了，但它又最有力量，它不屈服於權力，不屈服於壓力，不屈服財色物色女色的誘惑力。世界上最殘忍的暴君與劊子手如希特拉等，他們殺掉了無數的頭顱，但征服不了人類的良知，老子說以天下之至柔克服天下之至堅，所謂至柔，便是良心與童心。這種至柔的東西才是最後的勝利者。

340 母親分娩時非常痛苦，但嬰兒很快就證明其痛苦的意義，並帶給母親陣痛後衷心的微笑。所以每個女子儘管都知道分娩的痛苦，但孩子還是一代一代降臨，母親分娩的痛苦便是有意義的痛苦。俄國卓越的哲學家別爾佳耶夫在《人的使命》中說，人可以忍受痛苦，只是不能忍受痛苦的無意義。我在青年時代的大革命潮流中，幾乎每天都感受到痛苦的無意義，更不必說那些在「牛棚」裏辛苦恣睢寫交代材料把刀子插進自己心窩的人了。革命大潮流過後，雖然也辛苦，但在辛苦中看到誕生，看到果實，看到靈魂常有新的萌動與新的生長，於是快樂，於是明白不同質的痛苦。

341

如果不因人廢言，那麼，應當說，文化大革命時的中國確實是一部絞肉機。這一意象比一百篇學術論文更深刻地描述了一場空前的歷史浩劫。然而，絞肉機不僅是權力造成的，也是知識分子自身造成的。知識分子在大運動中互相揭發、互相污辱、互相摧殘，尤其是青年知識分子，更是絞殺他人和自我絞殺的先鋒。所謂紅衞兵，就是絞殺的牙齒。每個人既歷經慘重的痛苦，也造成他人的痛苦。而在絞肉機形成之前，知識分子早就為這部機器準備了齒輪與螺絲釘，這就是奴顏與媚骨。

342

把人劃分為敵與我、革命與反動、敵我矛盾與人民內部矛盾，倘用數學語言表達，這部屬於簡單算式。可是人是最豐富、最複雜的生物，其心理，其情感，其選擇，其「表現」，均屬高級算式。中國當代文學的思維陷阱，就是陷入簡單算式之中，即極端本質化的算式，其結果是離人的實在很遠，離文學的本性也很遠。中國政治倘若不擺脱思維的簡單算式，也將是一種低級的政治。歷史不僅會嘲笑文學藝術上的簡單算式，也一定會嘲笑政治上的簡單數學。

343 東、西方的左派、右派模樣相似，左派激烈，右派保守；左派持大眾主義，右派持精英主義；左派重目標，右派重利益。但無論是西方的左派還是東方的左派，早期都有理想有天真，而後期則太多世故與心機。中國的左派，早期的「左」是理念或信念，而後期的「左」則是生存手段和生存策略。隨着生存競爭的日趨激烈，其生存策略也變得愈來愈激進。當今的左派，沒有思想，卻有許多「上綱上線」的大話和狠話，甚至還有殺機。連得諾貝爾文學獎的高行健，他們也打殺。

344 有兩樣東西對當代的世道人心影響特別大，一是美國的利益原則，一是東方的流氓政治。美國的利益原則裏還有講誠信的優點，還不至於導引入去當騙子，但它的一切都為了商業目的的原則，卻使許多人只知金錢不知其餘。至於東方的流氓政治，卻完全敗壞人類正直、善良的本性。世界如果要阻止自身的墮落，恐怕要對這兩樣東西加以反省。

345 毛澤東確實是天才，什麼都懂，懂政治、懂軍事、懂歷史、懂哲學、懂文學，僅最後這條，就讓詩人們佩服得五體投地。中國的高官重臣有幾個能像他那樣喜歡《紅樓夢》，有幾個像他那樣對這部偉大小説不斷閱讀，可惜他卻不懂得最要緊最要緊的經濟，他把中國的經濟引向崩潰，弄得民不聊生，人人得浮腫病。他讓幾個簡單的官僚頭腦去管理一個龐大國家的複雜經濟，結果是一片混亂，一片蕭條，一片怨聲載道。現在人慾橫流，金錢掛帥，正是對當年經濟失敗的懲罰。

346 美國總統列根執政的時候，炮彈襲擊利比亞的總統卡達菲，炸死了他的乾女兒，仇怨可謂深矣。可是，現在美國卻與卡達菲握手言歡，交流情報。美國的好處正是沒有絕對的敵人。昨天是敵人，今天是朋友。這次不能合作，下一次可以合作，不結成永遠的仇敵。敵人的概念是流動的，變遷的，對待敵人的態度也是自由的。中國則喜歡使用「死敵」的概念。死敵，便是永恆的仇敵。連自己的同胞兄弟，所謂持不同政見者，也視為死敵，幾十年不變。表面是立場堅定，內裏則是虛弱而狹窄。樹了絕對的敵人，也給自己帶來絕對的不自由。

347 賈植芳先生所譯的《契訶夫手記》中記載了一些趣事，其中有一則寫道：「有一個人，生平每逢選舉都投左派的票。」此人不管時勢如何變遷，左、右翼的綱領如何更改，都認定「左」便是好，壓寶就壓在激進派身上。契訶夫自然沒想到這種俄羅斯稀罕的人，在二十世紀中國卻遍佈大江南北。所有的伶俐人都必投左派的票。「寧左勿右」是學乖了的中國人的基本人生策略。當「右派」不僅危險甚至可能變成「階級敵人」，當「左派」則一定可以飛黃騰達，即使犯錯誤，也只是「左派幼稚病」。所以至今到處都是「左撇子」。

348

二十世紀有多次巨大的文化泥石流。每次政治運動都是一次泥石流。文化大革命更是一次空前的泥石流。在其衝擊之下，一個國家元首為自己做不得一個人而痛哭（劉少奇主席），一個個優秀的詩人、作家、思想家全變成非人或多餘人。泥石流的特點是泥沙俱下，聲勢俱厲，骯髒而有力量，猛不可擋，一切都被它所覆蓋。在泥石流中保存一塊淨土，是當代中國知識分子的理想，但理想主義者也常常被泥石流所吞沒。未被吞沒而倖存的，便是奇跡。當代中國作家的寫作有一個文化泥石流的語境。

349

政治與文化陷入平庸的時代，人們就會盼望地上冒出一個英雄和救星。德國在第一次世界大戰戰敗之後，盼望英雄，結果是盼來盼去，盼來了一個希特拉。俄國人也盼來盼去，結果盼來了一個史太林。走過二十世紀的路，人類應當不會再把自己的命運押在英雄與救星身上了。聰明的民族知道要靠自救，只有愚昧的種族和個人才盼救星。美國的長處是有自己崇仰的領袖（如崇仰華盛頓、傑佛遜、林肯等），但並不期待新的總統是個救星。投下一票，只是希望有個較好的總統，而不是期待一個奇跡般的領袖。

350 社會變質，首先是社會變髒，變得到處是污泥濁水。曹雪芹看到男人世界是濁泥世界，少女世界是淨水世界。少女乾淨，說明社會的變質還有限。現代社會的變質卻很徹底，把少女也變了。六七十年代，革命潮流把少女變成火辣辣、血口噴人的紅衛兵；九十年代，商業潮流則把許多少女變成妓女。連年輕女作家的筆下，也是一片肉體的尖叫。淨水世界也正在變成濁泥世界。

351 受難之後，如果形成「苦難情結」，就會不斷控訴、不斷嘮叨，甚至不斷標榜自己，從而變成永恆的受難者，把自己釘死在苦難上。受難者自我一旦化為停頓的自我，就只能去乞討同情與乞討榮譽，不能培育出大悲憫的情懷。老是憶苦思甜的老太婆，與白頭宮女「閒坐說玄宗」的思路相通。只是前者是憶苦思甜，後者是憶甜思苦，前者是自我角色化的悲劇，後者是自我角色化的喜劇，雖然憶苦時都在落淚。

352 曹操愛才如命。他不僅愛自己的將領與謀士，而且愛關羽、愛趙雲。如果不是他下一道命令，不許傷害趙雲，趙雲怎能突破千軍萬馬的重圍救出阿斗。

然而，「愛人才」的境界不同於「愛人類」的境界。愛人類是愛一切人，包括愛非人才的普通人。曹操多次殺害無辜。他借王垕之頭以定軍心，如果王垕是英雄之才，他是不會下此毒手的。基督、釋迦牟尼之所以偉大，在於他們不僅愛人才，而且愛非人才的每一個人，平等對待一切，四海之內皆兄弟。

353 俄羅斯文學創造了一群被污辱、被損害的「小人物」，中國文化大革命卻創造了一群被污辱、被損害的「大人物」，從國家元首到將軍元帥到知識權威，都是大人物。「小人物」的故事曾激發人的悲憫感，「大人物」的故事則給人以荒誕感。哲學家通過「異化」的概念說明人被自身創造的東西所主宰的荒誕現象，可是他們只發現被現代社會的物質機器所異化，未發現被「國家機器」所異化。我看到的「大人物」正是他們被他們所創造的國家機器所控制、所損害、所污辱，這種大異化正是大荒誕。

354 什麼都有一個底線。人類要活下去，就必須保衛道德底線，當醫生的應當關懷病人，當法官的必須主持正義，當教師的必須把學生引向真引向善，當官員的必須拒絕貪贓枉法。如果一個醫生，看到病人在死亡線上掙扎卻無動於衷，只想敲詐病人一筆錢財，這就越過道德底線。美國社會有一個長處，各種職業人員都嚴守道德底線。他們的公德心，就在底線上。以往的劫機者往往還有「道德底線」，例如他們不殺老弱病殘。現在的劫機者已不顧這一切，要殺死所有的人，包括自己。他們濫殺無辜，把所有的地方都變成戰場，把槍口對準普通人甚至孩子。這種「越線」行為，顯示着人類最深重的危機。

355 魯迅的《論費厄潑賴應當緩行》產生的負面影響是使中國現代的激進派找到一個「徹底」的藉口，一個置對手於死地的藉口。「費爾潑賴」不是道德原則，而是遊戲規則，它的中心精神是對對手的尊重，即使是敵人，也要尊重。有尊重，有規則，才有公平健康的競爭。可是中國現代激進派總是把對手極端化，以至動物化，把人與人的鬥爭視為人與狗的鬥爭，這樣，便贏得「痛打」的理由。文化大革命中激烈派把「痛打落水狗」作為基本口號與旗幟所造成的災難性結果，是一個深重的教訓。

356 財富太多會危害身心，知識太多也可能危害身心。知識固然會充實人的頭腦，但也會膨脹人的頭腦，以至使人產生幻覺，以為自己真的乃是洞察一切的「大師」，可以替代「上帝」的「救世主」。一些知識名流，滿身寒氣、霸氣、酸氣，排斥同行的功力大於做學問的功力，這種人顯然有病，但自己不知道。與此相反，謙卑的智者與大慈悲者對知識總是有所警惕，他們不會發瘋，不會走火入魔。其不發瘋的秘密大約是在有了非常之名之後仍存有平常之心。也許他們還知道，財富具有物質性，知識也具有物質性。凡物質的東西都會點燃慾望。

357 曾有一位賢者對學生宣告他的師生關係原則，說：你們走進課堂，我是你的老師；你們走出課堂，則不是我的學生。他的意思是說，在課堂裏你們要受我約束，在課堂外你們可以獨立而思，自由而行，不要被師道窒息死。這才是真正的大師境界。師生關係就是師生的傳授關係，它不是政治關係，不是等級關係，不是主奴關係。可惜中國當下的「大師」們，卻樂於經營山寨，把「弟子」當走狗與奴才，一旦有恩於學生，便要定奪學生的生死前途。這很像金庸筆下那些江湖幫主，動不動就處死弟子或打斷弟子的一條腿。

358 魔鬼（慾望）的兩隻手臂，一隻把城市推向繁榮，一隻把人心推向深淵。於是，大地上一面是高樓疊起，一面是精神沉淪。一面是金錢把樓閣刷新得宛如天堂，一面則把一顆又一顆的人心變成一座座地獄。看看醫院的樓房，一天比一天富麗堂皇，再看看醫院的門房，見死不救的故事一天比一天讓人驚心動魄。天堂是看得見的城市，地獄是看不見的城市。看不見的城市構築在人心中。

359 世界上只有一個城市讓我「望洋興嘆」——紐約。這個城市就是滄海，就是汪洋，站在它的岸邊就不能不感慨感嘆。不是讚嘆它的刺破青天的高樓大廈和望不盡的大建築，而是驚訝它怎會如此包容，如此「萬物皆備於我」。全世界各種膚色、各種宗教、各種理念的人群，都在這裏相安無事。地球上的精英全都是這裏的主人或客人。正如海洋擁有各種魚類，這裏擁有各種人類。這裏有一個政治「聯合國」，更有一個地球有史以來所形成的各種文化的大聯邦。這聯邦包括對紐約進行質疑與攻擊的文化。正是這些內涵，紐約呈現了一個真理：開放的城市只是做生意的俗地，包容的都市才是偉大的存在。

360 當今的政治批判、文化批判與學術論爭，都像作戲。戲雖有人看，有人捧，但看客與捧客都是逢場作戲。這原因是論爭者與批判者雖然激昂，說了很多狠話大話，但明眼人可看到他們的觀念雖有差別，卻有一種共同的基本立場，這就是一切都是生存策略。在謀生的前提下，一切都是手段，包括理念，也只是生存手段，並非信仰。反專制，本是可敬佩的，但反專制者本身卻是橫掃一切的暴君，連被專制的先行者也屬橫掃之列。這雖不合邏輯，卻合生存立場，目的都是為了抬高自身的生存層次，反專制可贏得利益，反被專制所壓迫的傑出同行，更可抬高自己和獲得市場效益。

361

當年顧炎武滿腔愛國情懷，力倡經世之道，讚賞「清議」（談家國天下事）「清談」，認為永嘉之亡、大清之亂，完全是清談的流禍。可惜他太片面，只知「國」，不知「人」，只看到家國興亡，未着眼個體生命自由。其實，任何個體生命，既有參與社會的自由，也有不參與社會的自由，即逍遙的自由，這才算具有真的社會自由。赴湯蹈火往往比隱逸山林更具道德價值。但是，如果沒有隱逸山林的自由，就產生不了陶淵明、曹雪芹這樣的大詩人大作家。他們雖未赴湯蹈火，但精神則似山高海深。我們敬重赴湯蹈火的拯救者，也敬重在山水之間領悟宇宙人生的思想者，既尊重清議者，也尊重清談者。既尊重參與的權利，也尊重逍遙的權利。自由的前提大約需要這種「雙重結構」。

362

二十世紀下半葉的中國，有兩件大事可能進入歷史的記憶：一是八十年代的思想解放，二是九十年代的慾望解放。有經歷過八十年代與沒有經歷過八十年代的人是不同的。在八十年代的集體大叩問中，中國知識分子和中國人經歷了一次人的尊嚴的重新呼喚，一次靈魂的重新站立，可惜僅僅十年就中斷了。九十年代的中國經濟有了大發展，而整個民族的復蘇是從開放慾望開始的。一百年來，中國第一次在最低的層面上對慾望進行呼喚，雖然沒有在意識形態上肯定慾望的權利，但慾望這一魔鬼已衝破潘多拉魔盒，「生活無罪」變成新的集體理念。於是中國變成一個有生活有動力的國家。歷史將證明壓制慾望沒有出路，開放慾望才是出路，也將證明，用精神調節慾望是必須的，但用道德和意識形態撲滅慾望是沒有出路的。

363

愈是走向知識的高處，愈是感到往前走的艱難。所謂「高處不勝寒」，不僅是指知識高峰上的空氣格外稀薄，而且是指理解和支持的力量愈加稀少。師長友人溫暖的叮囑只是在山下。一旦你走入山頂，那就誰也看不見你，你也聽不見溫馨的祝福與暖和的目光。愈是站立於山頂，愈是要獨自擔當一切。

364

有時也為自己的漂流而驕傲。漂流，既贏得自由，又保全了靈魂，而且還讓靈魂痛快地作了一番呼告。身處他鄉，心思雖然牽掛着故國故人，但與一個泥濁世界卻拉開了距離，而且是滄海汪洋的大距離。常常聽到花天酒地的故事，常常聽到爭名奪利的傳説，但都在遙遠的彼岸，離我很遠。在濁泥的世界中，連眼睛也會帶上泥水濁水，眼睛一旦混濁，且不説看不清真理，也辜負了人間的大好景色。

365

語言暴力比行為暴力更可怕的一點是：它不僅打擊人，而且塑造人，形成人的心理結構。行為暴力通過刀槍、子彈打擊人，消滅人的軀體，而語言暴力則把人的內裏邊毀掉。對人進行人身攻擊時，語言不僅在傷害被打擊的對象，而且製造一群沒有心肝沒有善性的虐待狂。他們有流利的口舌，還有獅子般的凶心。表面上是暴力進入語言，實際上是暴力進入人心人性。

366 盛世危言一則：如果今天的中國回到二十世紀上半葉的舊時代，一定要比舊時代更壞。因為那個時代還有未被掃滅的傳統道德律令在（傳統道德觀念是被五四潮流衝擊，但傳統道德行為模式還在），人慾橫流時還有父輩留下的河岸。今天中國洶湧而起的慾望巨流，一沒有西方那種宗教情操的約束，二沒有傳統理念的規範，既沒有「天父二神」的壓力，也沒有地上父親（道德）的壓力。沒有壓力便可隨心所欲，為所欲為，做什麼壞事都是天經地義。新中國的前景不可能回到舊中國，但可能變成比舊中國更壞的濁泥中國。

367 「放逐概念」不是取消概念，而是拒絕概念對人的壓迫與控制。人不是概念，不是數字，不是邏輯，而是活的生命。當代中國人被概念簡化時，生命便被歪曲、被摧殘。一串「地、富、反、壞」的概念就是一座人間地獄。地獄不是建築在街道與樓房中，而是建築在方塊字概念中。概念與對人的分類就是地獄判官的權力操作。反抗概念對人的規定和對人的歪曲，反抗一種無所不在的壓迫，不是語言學者的職業，而是人的使命。

心靈事業

368 文學是柔和的，又是殘酷的。未經痛苦的磨練，筆頭總是輕的。正如未經過磨難的骨頭總是輕的。我不相信那些時髦的、把文學當作「玩物」的作家其作品是重的。文學之殘酷，還有一層意思是它要求作家全生命投入，以至最後全部心血都被文學吸乾。「蠟炬成灰淚始乾」，這一苦戀的詩句用於文學是很合適的，執着的作家最後只剩下生命灰燼，崇拜者最好不要瞻仰他們的遺容，那副皮包骨的形態與他們創造的精神金字塔是完全兩副不同的景觀。看看魯迅的遺體，完全是一副皮包骨的樣子，體重只有七八十斤。

369 論才氣，論性情，李漁有可能成為曹雪芹，但他終於沒有成為曹雪芹，也遠遜於曹雪芹。這原因很多，但最根本的一點，是他的生活太安逸，太精緻（讀讀他的《閑情偶記》就明白），未經歷過曹雪芹那種家道中衰、大起大落的苦難，心靈未受過大震蕩與大折磨。磨難可以把作家推向內心，推向生命深處。文學的「殘酷性」常常表現在要求作家先要吃盡苦頭然後才能大徹大悟。在此意義上，真作家正像孫悟空，必須經歷煉丹爐的殘酷，才有超凡脫俗的大本領。

370 江山丟失了，有人心疼；財產丟失了，有人心疼；親朋丟失了，有人心疼，但不知有多少人為丟失藝術天才與藝術精粹而心疼。想到伯牙與鍾子期的「高山流水」沒有留傳下來，想到「廣陵散」與嵇康的生命同時消失，想到馬思聰流亡海外之後許多用眼淚與熱血譜成的曲子隨着歲月漂散，想到聶耳、冼星海、施光南均屬「英年早逝」，便使我們非常難過，一想就感到心的疼痛。

371 囚徒在牢房裏的理想恐怕不會是「飛升」——向天堂飛升，而是「擺脱」——趕緊擺脱鐵壁與鎖鏈。一旦走出牢門，恐怕也不會「好高」，而會是「騖遠」——離開牢房愈遠愈好。想想那些在極權專制國度下的偉大思想者，他們的思想與言論多半並非是天堂的設計，而是教人如何進行精神越獄。高行健的《靈山》，表面上是在尋找「靈山」，實際上是一個囚徒在尋找精神的越獄之路。他認為，最難穿越的牢獄是自我的牢獄，他的靈山之旅，包括不再作自我的囚徒。

372 白居易的《長恨歌》、馬致遠的《漢宮秋》，還有《水滸傳》中宋徽宗和李師師的故事——皇帝挖地道去幽會名妓李師師的故事，説明在中國，連帝王也沒有情愛的自由。皇帝尚且沒有愛的自由，何況平民百姓，更不用説祥林嫂這樣的寡婦。中國有種籠罩一切的道德審判所，它本來是監視不道德的行為，可惜它總是扮演自由人性的劊子手。在中國，道德謀殺比政治謀殺還可怕。五四運動的偉大功勳，是對道德謀殺作一次空前的清算與抗議。

373 杜斯托也夫斯基從斷頭台上倖存下來，從暗無天日的地下室走了出來，因此靈魂充滿動蕩與不安，而那些被損害的窮人更是使他難以安生。而托爾斯泰是個大莊園主，日子過得很舒服，很平靜，完全可以好好「享受生活」，可是他的靈魂也充滿動蕩與不安，也難以安生。一個作家的靈魂總是和其他生命息息相關的，身邊的靈魂發出的呻吟總是要深深地刺激他的靈魂。他們天生的感覺器註定要被人間的苦難緊緊抓住。俄羅斯這一對天才，其靈魂的故事最富有大詩意。

374 可以研究魯迅，學習魯迅，但不可扮演魯迅。六七十年代的中國革命者，個個都在扮演魯迅，於是，人人「橫眉冷對」，「痛打落水狗」。魯迅是個豐富的生命，可是扮演者卻只帶着魯迅的簡單面具。結果扮演者有的變成凶神惡煞，有的變成專制衞士，有的變成偽君子，更多是變成暴君和暴民。魯迅是偉人，但也有弱點，他往往把論戰的對方極端化，從而造成毀滅性效果。魯迅的扮演者忘記魯迅是個深廣的人道主義者，只知把對方極端化，於是，便變成暴虐主義者。今天的魯迅研究者仍有人繼續扮演魯迅，仍然一副激進的面孔，一副掌握「絕對精神」的革命導師模樣，很有喜劇性。

375 作家通過寫作創造精神價值，也通過寫作自我修煉，因此，好作家總是愈寫愈自由，愈寫愈深地邁入自由王國，但當代中國作家卻不是愈寫愈自由，而是愈寫愈自大，出了幾部集子就步入自大王國，就以為自己是天下第一，別人都不行。自吹自擂的聲音比作品的聲音給人更深的印象。是愈寫愈自由，還是愈寫愈自大，可作一面鏡子，一把尺子，觀照作家們的優劣高低。

376 李後主（李煜）的詞達到那麼高的境界，是他善的內心的結果。他當過帝王，但他成為囚徒之後並不留戀舊時的生活，更不自戀。自戀的壞處是放不下過去的自己，甚至放大過去的自己。李後主不自戀，只把個人悲傷與人間悲傷連結一起，從而產生大慈悲。有了慈悲心，眼界就從宮廷移向人間。與勾踐相比，兩人都是從帝王變成囚徒，都產生地位的巨大落差，但前者產生仇恨，後者產生愛。產生仇恨容易，產生愛很難，產生大悲憫更難。與屈原相比，屈原總是放不下那個宮廷，但李後主放下了。放下之後才有天地人間大境界。

377 《他鄉：以撒·柏林傳》中記載巴斯特納克（《齊瓦哥醫生》的作者）一個發自肺腑的呼籲：「我懇求你們，不要組織起來！」這一呼籲不是面對前蘇聯的專制權力，而是一九三五年面對在巴黎召開的抵抗法西斯的國際保衛文化代表大會。這就是說，即使機構的性質是「進步」的，他也反對把作家組織起來。文學寫作是個人化的心靈活動，心靈決不可置於某種「局」中，一旦落入「局」中，一定會死掉或爛掉。不論這個「局」是國家的「局」、集團的「局」，還是商場的「局」，也不管這個「局」是插着什麼旗幟，有組織的文學決不可能是真文學。養牛養馬，尚須給牛馬創設一片自由奔馳的場地，更何況作家所從事的海闊天空的心靈創造。局限，局限，文學藝術最致命的事是被「組織」所局限。組織起來與「捆綁起來」並無實質性差別。

378 以往只覺得故國是太上老君的煉丹爐，走出爐門之後來到美國，本以為可以過悠閒日子，沒想到，生命再次被扔進煉丹爐中。第二次火煉雖不像第一次那樣左沖右撞，肝膽分裂，卻也是一番實實在在的煎熬。另一片土地所設置的種種關口和規範，也有飛沙走石，滾湯烈火。經過十幾年的體驗之後，我喜歡對剛到美國深造的年輕人說：與其把美國看作理想國，還不如看作煉丹爐，準備作新一輪的命運的顛簸。如果說在國內需要韌性，在海外則需要雙倍的韌性。

379 賀知章詩云：「少小離家老大回，鄉音未改鬢毛衰，兒童相見不相識，笑問客從何處來？」詩人在自己家門口被當着異鄉人，這就是荒誕。德國的哲學家兼詩人賀德林也描述過：「看到你們的詩人和藝術家，看看所有仍尊崇天才並且熱愛和保護美的人，也令人心碎。善良的人，他們在世上，就像在自己家中的陌生人，就像忍者奧德賽，他乞丐模樣坐在自家門前，那些無恥的求婚者在廳堂裏喧嘩並且問：是誰把流浪漢帶到我們這兒來的？」[3] 英雄奧德賽在自家門口被當作要飯的乞丐。這也是荒誕。當高行健獲得諾貝爾獎而遭到故國的權勢者與評論家們嘲笑攻擊的時候，我想到為故國贏得巨大光榮、遠征歸來的奧德賽。高行健為方塊字打天下，卻被拒絕進入方塊字家園的門口，這就是荒誕。

380 托爾斯泰是一個寫作極為勤奮的大作家，他的著作量真是驚人。俄文版的《托爾斯泰》全集接近一百卷。但他卻常常告誡自己「不要寫，不要寫」，他的自我告誡不是要放棄寫作，而是強迫自己停一停。只有停頓一段時間想一想，感覺才不會停留在老地方，也才不會在已經習慣和熟悉的思路上走不出來。也只有停下來思索，才能從內心深處走向更深處。停筆之時，靈魂注入活水，寫作又會獲得新的昇華。作家最忌諱的正是對自己的重複。

381 近、現代中國的一些優秀人物，如陳天華、王國維、老舍等，他們選擇自殺的方式是自沉海底或自沉湖底，隨着時間的推移，我們才發覺，他們的屍體通過海水與湖水，卻沉入歷史的底層，也沉入我們心靈的底層。幾百年過去之後我

3 荷爾德林，戴暉譯：《荷爾德林文集》（北京：商務印書館，1999），頁 146。

們的後人將會感到心的底部還躺着他們的身體，而且還會常常聽到他們的聲音。人的良知難以死滅，常常是心底有許多偉大死者的呼吸。從這個意義説，靈魂真的不會死。而這種沉澱與毀滅，最終又化作這樣一個永遠解不開的提問：為什麼？為什麼昆明湖、太平湖湖邊的廣闊土地，容不下這些赤子。卻只能讓湖水的濁泥來關閉他們乾淨的眼睛。為什麼九百六十萬平方公里的土地容不下一個七尺之軀？是自沉的赤子有病，還是湖邊的廣闊大地有病？面對亡靈，我們該對湖邊的花花樹樹、男男女女發出一聲叩問。

382

魯迅翻譯過日本廚川白村的文論著作《苦悶的象徵》，這也是廚川先生對文學的定義。如果以此定義魯迅，魯迅正是中華民族苦悶的總象徵。一面是民族生存的大苦悶：故國從大國變成弱國，受盡恥辱，國民又麻木沉睡，奴性等劣根長入骨髓深處。在集體無意識中，無論什麼好制度、好名詞，一到中國就變得一團糟，怎麼辦？吶喊顯得空洞，彷徨也沒有立足之所，似乎只能與黑暗同歸於盡。另一面則是個體存在的大苦悶：啟蒙無望，回到自身，雖説躲進小樓，但畢竟面對現代鬧市。海派歡迎聲光化電，京派照樣談龍説虎，唯有魯迅感到不安，像個「過客」，只見到地獄邊上的野草，不知自己從哪裏來，又該到哪裏去，人為什麼活着，該怎麼活，偌大的中國，似乎只有他在叩問存在的意義，只有他，負載生存層面的大苦悶又負載存在層面的大苦悶。雙層的焦灼，終於過早地把魯迅的身體燒成灰燼，但正是他，才是真正的文學家。

383 人的永恆悲劇是人自身對命運的無可奈何。《伊底帕斯王》的悲劇是人類共同的悲劇：許多人為的努力不能奏效，生命只能讓命運推着走。彷彿人生來就是命運的人質，誰也擺脱不了冥冥之中的那只無形之手。可是，明知努力的結果十分渺茫，但還是要努力前行，向命運挑戰，知其不可為而為之，人類的偉大性又正是從這裏誕生。文學不可能像科學技術也不可能像社會學、歷史學那樣做些量的準確描述，就因為文學從古到今都面對着命運這個巨大的混沌。

384 一到歐洲觀賞繪畫，就不能不傾倒，不能不驚嘆。中國也有自己的燦爛藝術，商朝時代的銅器那麼古雅，可是，與歐洲藝術相比，我們就會覺得故國藝術還是單薄粗糙。文藝復興時期米高安哲羅、達文西的畫至今如同太陽明月，光芒萬丈，照耀的不僅是意大利和歐洲，而是全世界。偉大的繪畫的產生，需要財富、技術，還需要信仰。信仰是文化之核，偉大的畫家因為有信仰，所以不追求實用，而追求永恆。信仰最難動搖，因為它植根於心的深處，因為它涉及到人的永生。梵高沒有財富，也沒有宗教信仰，但他信仰美，美也是永恆的。

385 政治極權可以把作家變成黨派工具，而市場極權則會把作家變成大眾玩偶，如今政治極權已經疲軟，但市場的極權卻方興未艾。以往在政治專制下，有些乖巧作家使用動物語言，包括用狼虎語言（吼叫與牙齒）和狗的語言（夾着尾巴或搖着尾巴），各人情況不同。如今在市場極權下，動物語言已貶值，人只好在自己的身體上想辦法，於是，女作家們便想到身體語言。上半身語言用完之後又使用下半身語言，於是，便有下半身文學的暢銷。只要市場需要，也不妨讓身體也發出動物似的尖叫。市場統治下的文壇，有點身體魅力的女作家，往往是寫作先鋒。

386 托爾斯泰在《戰爭與和平》中除了塑造出精彩的生命形象之外，還有許多思索。安德烈親王臨終之前關於生命與死亡的思索非常精彩，而小說最後關於歷史的思索卻有些乏味，幾乎可以說是「畫蛇添足」。這大約是前者的思索用的是心靈，後者用的是頭腦。大文學家畢竟不是歷史學者，他們的特長是眼睛與心靈，而不是用大腦。所以我一直主張作家應多讀書多些文化素養，但千萬不要學者化。學者化即頭腦化，其結果便是畫活蛇時添了一分理念的僵死的尾巴。

387 二十世紀有一奇怪現象，無數最美好的語言都獻給暴力。把暴力打扮成美女，打扮成救星，打扮成法寶。不僅詩人作家歌頌暴力，歌星舞星也歌吟暴力。魯迅當年所憎惡的「打打打、殺殺殺」的詩歌，到了文化大革命期間，則到處都是。最讓我感到震撼的是在幼兒園的文藝晚會上，小姑娘也都穿上軍裝拿着刀槍不斷地唱着「打打打、殺殺殺」。從小到大，數十年歌舞的薰陶，造成幾代人的一種幻覺，以為刀劍才是打開天堂的鑰匙，放下刀劍來是本要立地成佛的，這回卻以為只有拿起刀劍才能上天成神了。

388 寫作的尊嚴是寫作者只接受自己內心的絕對命令，此時作家只知「我是我」，不接受任何外部力量強加的東西，既不接受敵人強加的東西，也不接受朋友強加的東西，既不接受當下權力強加的東西，也不接受過去祖先強加的東西。徹底的文學立場，沒有任何圓滑，沒有任何世故，也沒有任何遷就，包括不遷就親者與愛者。所謂得大自在，就是超越一切外部力量的干預而作充分的自由表述，特別是超越權力的控制而作自由表述。

389 回到闊別幾十年的故鄉，看到兒時的朋友閏土原先那張紅潤的臉變成一張樹皮似的麻木的臉，還叫一聲「老爺」。這一聲老爺震撼了魯迅的整個身心。才幾十年，童年時代的朋友就和自己相隔如此之遠，兩個階層，兩個階級，中間隔着高山大海。這聲「老爺」是從中華民族集體無意識的深處喊出來的，這種聲音只有像魯迅這種有靈魂的人才感到顫慄，才知道這是怎樣的悲哀。也是像魯迅這樣的人，才知道不是幾十年，而是幾千年的等級文化吸乾了閏土的生命活力與活氣，讓他只剩下一張樹皮似的麻木的臉。

390 我喜歡拉伯雷的一句話：「人有權利從瘋狂的教條桎梏下解放自己。」他這樣說，也這樣做，所以才有《十日談》的誕生。《十日談》向歷史宣告：人有慾望的權利。他還說過一句激憤之詞：寧與醉漢、花柳病人為伍，也不願意廁身文人雅士之間。拉伯雷時代的文人雅士不僅被瘋狂的教條吸乾了靈性，而且被吸乾了人性。醉漢與花柳病人的人性底層還有生命火光，而只會用舌頭去舔着乾枯教條的文人，卻連最後的人氣也被概念蒸發掉了。

391 人類的大智慧常常保留在政治家、軍事家、思想家的行為與著作中，其眼光、魄力、理性、邏輯、選擇、決斷、謀略、術數、思辯等都有智慧在。但人類最純正的情感，最偉大的心靈，則保存在文學作品中，保存在音樂與繪畫中。天真、正直、善良、誠實、無私、同情心、大慈悲，獻身精神等，一切超勢利的最優秀的品性，都蘊藏在詩中、歌中、畫中。對文學藝術的信仰，不僅是對智慧的信仰，而且是對真情感的信仰。

392 從荷馬史詩到莎士比亞戲劇，從但丁到托爾斯泰、杜斯托也夫斯基，從《史記》到《紅樓夢》，所有經過歷史篩選下來的經典，都是偉大作者在生命深處潛心創造的結果，因為是在生命深處產生，所以時間無法蒸發掉其血肉的蒸氣，所以真的經典永遠具有活力。經典不朽，其實是生命不朽。沒有一部經典是靠社會組織拔高或靠一些沽名釣譽之徒相互吹捧形成的。假經典被捧得愈高，就摔得愈碎，也被拋棄得愈快。

393 屠格涅夫作《父與子》，表現兩代人的心靈衝突。父與子的矛盾好像是永恆的矛盾。道路在前，父輩總是選擇習慣性的路，子輩總是想走他人沒有走過的路。走老路，是因為眼睛未能改變習慣性視野。不管是民族還是個人，改變習慣性視野是最難的。在習慣性視野之下，常覺得無路可走。可是一旦打破習慣性視野，眼界一旦拓寬，便覺得到處都是路。世上最大的路障，不是別的，正是自己固執的眼睛。

394 高行健的《周末四重奏》使我們聯想到自己，人生常常會出現一種瞬間，感到生命特別蒼白，沒有悲，沒有喜，沒有哀傷，沒有憤怒，不想讀書，不想寫作，不想工作，不想交往，甚至不想作愛，心中只有一個「煩」字。在蒼白的瞬間中不得不和妻子、朋友聊天，本想排遣這個「煩」字，結果連煩也蒼白。這種生存狀態，每個人都經歷過，但不容易捕捉。高行健的本事恰恰是善於捕捉難以捕捉的內心狀態，把肉眼看不見的狀態變成看得見的舞台形象，激發人對存在意義的思索。

395

古希臘史詩中所展現的波瀾壯闊的戰爭，不是正與邪的戰爭，無所謂正義與非正義，其勝利者與失敗者都是英雄。這些英雄為美人為尊嚴而戰，被命運推着走，而命運的背後是性格。如果荷馬也落入中國人的「成者為王，敗者為寇」的觀念，就沒有這部偉大史詩。命運、性格屬於人，正邪之分則屬於政治理念與道德理念。希臘史詩的大詩意來自生命，不是來自觀念。中國當代文學有許多描述戰事的作品，可惜沒有《伊利亞德》的大浪漫與大詩意。

396

從僵死的教條中走出來，從權力的陰影中走出來，從社會、市場的各種牢房中走出來，這些早已意識到了，但還必須從他人的目光中走出來，包括朋友的目光，這點則是最近的覺醒。他人的目光也是一種鎖鏈，太在乎他人的目光，太在乎他人欣賞，就會變成他人的戲子，受制於他們的評語，這便被他人剝奪了自由。從他人的目光中解放出來，這是我的「曠野的呼號」。因有這呼號，所以我才說：重要的不是他人的評語，而是自身內在真實的聲音。

397 張愛玲對於人世滄桑特別敏感，因此寫起城市的家庭婚姻便十分精彩。可是她一踏入鄉村，寫起農民就不行了。與趙樹理相比，趙筆下的農民是真的農民，個個活生生，個個有血有肉地在田野農舍裏爭吵歌哭，連婚姻戀愛都有十足的泥土味和民間趣味。可是，張愛玲《秧歌》的農民，卻是觀念的傀儡，全然沒有血色。兩家相比，一家筆下是真人，一家筆下是假人；一家筆下是有機體，一家筆下是無機體。可是，有些文學史寫作者，卻認定張愛玲是大才，趙樹理是小丑，由此可見人間的不公平到處都有，對於種種文學史的著作，千萬不要妄信。

398 「曲高和寡」的過失不是「曲高」，而是「和寡」。音樂家不必迎合大眾而降低自己的品格。所謂知音難求，是高雅的歌聲難以找到共鳴者，尤其是發自生命深處的歌音更難找到相通者，至於在媚俗的歌台上，則到處都有捧場者和追隨者。俗調和者眾，從來如此。「高處不勝寒」是指高處必定孤獨，不要指望高處的聲音會有世俗的迴響，只能以自己的靈魂獨撐孤獨。

399 說文學具有時間性，不如說文學沒有時間性，只有空間性。偉大的文學作品如同星辰，不知歲月，不知時序，不知季節，它永恆地懸掛於人類靈魂的天空。希臘史詩既屬於古代，也屬於今天，中間沒有時間的門檻。荷馬創造史詩的瞬間，深入瞬間，並從瞬間踏入永恆的走廊。走廊裏空間還在，但時間消失了。文學家的寫作，不僅在締造比自身的生命更久遠的東西，也締造比時代更久遠的東西。為現實服務的作品，雖有歲月，卻不識永恆。

400 曹操的詩，讓人感覺到其中恢宏的大氣。「對酒當歌，人生幾何」，這種對存在意義的叩問，不僅是他的兒子曹丕、曹植所不能比，也是中國詩人群中少有的。可是，讀《三國演義》，則感到曹操是另一種人，霸氣、奸氣、邪氣全有。歷史上的真曹操雖然沒有小說裏的曹操那麼壞，但也絕對沒有作為詩人的曹操那麼令人欽佩。許多卓越人物，其最美好的本性只能保存在詩中，而在充滿搏殺出現實生活中則不得不選擇另一種方式，一進入權力沙場，就不能不變質變形，失去棲居於大地的詩意。

401 作家詩人處於文學狀態之中，可稱為「狀態中人」。狀態中人寫作時是文學狀態，非寫作時即平常時也是文學狀態。總是天真，總是仁厚，總是好奇，總是性情，總是遠離世故，總是拒絕心機心術，總是以生命閱讀、擁抱人間、宇宙。有些人並非作家，但性格很有詩意，也屬文學狀態。反之，有些詩人作家雖然不斷寫作，卻沒有文學狀態。文學對於他們只是生存策略，名利手段，談起爭鬥與生意，興致很濃，談起文學，卻無真知真愛。許多詩人不像詩人，倒是很像商人，因為他們並非狀態中人。

402

中國文學中，《西遊記》是隱喻性最強的作品。每一個人的人生，其實都是一部《西遊記》。每個人的身上都有豬八戒的世俗性、孫悟空的英雄性、沙僧的平實性，還有唐僧的神性。生命的開發具有無窮的可能性，但最好還是要不斷超越豬八戒而往唐僧境界飛升。孫悟空的生命過程是不斷打破各種魔鬼圍牆，也是不斷靠近唐僧心靈的過程。人生也許可概括為三個階段：豬八戒階段（世俗人生）；孫悟空階段（奮鬥人生）；唐僧階段（徹悟人生）。

403

周氏兄弟都不喜歡舊上海的習氣。周作人寫過「上海的流氓氣」，魯迅則寫了更多鞭撻上海文人的文章。他說，京派文人近官，海派文人近商。也許受官、商影響，京派文人總是好當霸主寨主，好拉山頭而統治一方。而海派文人則無當霸主的野心，但好鑽營，好拍馬屁。論氣魄，海派文人往往不如京派文人；論生存小技巧，京派文人往往不如海派文人。這種差異，使末流的京派文人變成惡棍，使海派文人變成流氓。但也有例外，如京派的流氓文學如今也很發達，海派的文人學士，也在謀求話語權力中心。

404

王國維所說的「隔」，是指詩詞表達中的；「障」。而人文領域中的觀念之障則到處都有。只有在生命深處，才能消解人為的「隔」與「障」。生命深處沒有東西方之分，沒有貴賤之分，沒有內外之分，人類文化的一切精華都是內在生命的一部分，也沒有宏觀、微觀之分，所謂「宏觀」、「微觀」，一進入生命底層，便沒有界線，一滴眼淚與一顆星球在血脈深處，分量是一樣的。生命深處沒有勢利眼，所以最美的東西都在心靈的深海中。莊子所說的「齊物」，在地表中難以實現，在心坎裏則完全可以建構一個齊物理想國。

405 魯迅曾稱讚俄羅斯的「大曠野精神」，我喜歡托爾斯泰、杜斯托也夫斯基等俄羅斯作家，覺得他們真有「大曠野手筆」。這種手筆灌注着博大精神，又灌注着大慈悲。斯賓格勒在《西方的沒落》中以平原的意象來形容俄國的文化，那是擁有大森林與大雪原的遼闊與博大。文學自然必須講究文采，但是決定它的成功的，卻是心靈的深度與廣度。小作家尋章摘句，大作家則進入生命的大曠野。可惜，具有「大曠野手筆」的作家很少，具備小聰明的作家卻很多。

406 高行健不斷尋找「靈山」，最後他感悟到，世上並沒有靈山，靈山就在自己身上，就在自己當下不屈不撓的努力之中。此刻胸中還燃燒着一盞生命之燈，此刻思想還像列車滾動着車輪，沿着生命的軌道繼續運行，就是幸福，就該充分表述。表述不是為了救世，而是為了自救，為了在一個樊籠般的世界中得大自在，悟到這點，就「出道」了，也就找到靈山了。

407 魯迅的《狂人日記》用狂人的眼睛看世界；福克納的《聲音與憤怒》用白癡（昆丁）的眼睛看世界；曹雪芹在《紅樓夢》中用空空道人的眼睛看世界。眼睛似乎很不同，但都帶有孩子——赤子的眼睛。這種眼睛放下流行的大理念、大概念。看世界不用理念和製造理念的頭腦，而用眼睛，特別是未被概念堵塞的孩子眼睛。君特·格拉斯的《鐵皮鼓》的主角奧斯卡·馬策拉特，三歲時自行決定不再生長，便自我摔傷，保持玩鐵皮鼓的孩子狀態。他的智力雖比成年人高出三倍，但始終有一雙兒童的藍眼睛。人們以為他是孩子，一切隱私都不迴避他，於是，他看到納粹極權下德國國民性的種種醜態，也看到種種面具掩蓋下的一個最真實的荒誕時代。

408 文學的終極理由是文學自身的理由，也就是人的理由，心靈的理由。生命自由了，需要歌吟；生命壓抑了，需要歌哭；心靈乾涸了，需要筆墨滋潤；靈魂恐懼了，需要文字調節。不是皇帝需要歌哭才寫，而是自己需要歌哭才着筆。所以不能聽從皇帝的命令而寫作，而是聽從內心的命令而寫作，也不是為了給社會設計改革方案而寫作，而是為自己的心思心願而寫作。自身的理由大於政治理由，大於社會理由，大於道德理由。

409 魯迅在《狂人日記》的結尾是「救救孩子」，當時他的拯救是無條件的，為孩子而犧牲也是無條件的。到了《鑄劍》，他還是要援助孩子，要為孩子們赴湯蹈火，但他的援助是有條件的，這一條件就是孩子們（青少年）也要參與搏鬥，也要付出代價，在要求別人為他犧牲的時候自己也應不惜獻出生命。父輩肩住黑暗的閘門，盡了責任，孩子也需挑起重擔，盡自己的責任。如果孩子不盡義務，父輩「救救孩子」的口號等於空喊。

410 當下的知識人醉心於「地下文物」，一旦從古墓中發現一具略帶古珠古寶的屍體，便舉國報道歡呼，但是對於地上剛剛過去的劫難以及在劫難中死亡的生命，則麻木不仁，遺忘得很快。出土文物當然有價值，但發生在現代活人身上的苦難，卻具有最高的人文價值，對他們的研究分析才是大學問。這種學問無處可以複製，不像寫文化史思想史，可以抄襲前人的已有著作，可以拼拼湊湊，也不像發現古文物，只要有技術，有工具就行，它是一項以生命發現生命的大事業。

411 林崗與我合著的《罪與文學》借用俄國思想家舍斯托夫「曠野呼告」這一意象說明，中國文學從古到今多數是「鄉村情懷」，缺少「曠野呼告」。所謂曠野，不是外在原野，而是內心曠野。真正的大曠野乃是靈魂大曠野。在此大曠野中，時間的邊界消失了，空間的邊界也消失了。偉大的文學都是在這一遼闊無邊的曠野上展開的。而所謂呼告，乃是對靈魂進行深度的叩問。文學寫作的成功，最後取決於內功，不取決於外功，即取決於靈魂的內在力量，不取決於外在文本策略。

412 李漁的散文把世俗生活推向尖頂，把洗澡也寫成如夢如幻。這雖有人情味，但過於閒適。明末小品具有「閒適」與「人情味」這兩個特點，可惜內容過於蒼白。如果把李漁視為世俗的代表，曹雪芹則是精神的代表，他的故事背後有大慈悲、大思索。人要在地球上詩意地存在着，需要有一種大精神，這種精神可在《紅樓夢》中尋找，但在李漁那裏找不到，他的快樂雖愜意，卻非真詩意。

413 「地球繞着太陽轉」，現在是常識，可是一千年前提出這個論點，卻是石破天驚的異端邪說，要處死的。發現真理的人是以後才被當作英雄，而發現的時候卻常被當作魔鬼。為社會所不容。可見今天的常識也來之不易。但常識也不等於就是真理，有些常識並不可靠，老百姓認為有鬼神在，這也是常識，但不是真理。有學人崇尚講常識理性，卻講不通，就是看不到常識的多面性，也看不到常識的非理性。

414 中國文學從古到今，寫了很多黑暗的故事，譴責了罪惡，但缺乏對罪惡的形而上拷問。罪與刑連在一起，惡人一旦繩之以法，人們便皆大歡喜，沒有想到自己與罪相關，沒有懺悔的情思，沒有深度的質疑。西方的經典作品，尤其莎士比亞、杜斯托也夫斯基的作品，則把罪與罰連在一起，即把罪與恐懼連在一起，靈魂在罪與恐懼中掙扎，罪有多深，恐懼就有多深。《馬克白》寫的不是被迫害者、被殺戮者（鄧肯王）的恐懼，而是迫害者、殺戮者（馬克白）的恐懼，於恐懼中才有深度的叩問。

415 文化固然體現在文字、書籍、音樂、繪畫與雕塑上，但更重要的是體現在活人身上。人是文化的第一載體。動物沒有文化，人則是文化了的生命。文化最精彩的形態是生命形態。禪宗不立文字，但它很有文化，它的高水平文化是通過閱讀生命和開掘生命而直達生命深處。許多大部頭著作，說不清的真理，禪宗卻一語道破。禪向知識界作出這樣的大問哉：是人跟着文化走，還是文化跟着人走。

416 九十年代初，大陸報刊對我進行口誅筆伐的文章很多，他們談些什麼，我完全記不得，但有一點使我難忘的，是他們在批判我的「論文學主體性」時竟誅連到我所崇敬的卡夫卡與祁克果。至今我還記得邢賁思《關於主體性問題的幾點思考》中說：「卡夫卡把祁克果視為知己，把他的作品奉為圭臬」，以及我受其毒害的話。討伐文章對卡夫卡那種蔑視的口吻讓我非常驚訝也讓我非常難過。卡夫卡是我心靈中的文學英雄，這不僅是他告別了十九世紀寫實、浪漫舊傳統，開闢了二十世紀荒誕文學新傳統，而且還在於他遠離功利計較，遠離名利場的寫作境界，其偉大如同星辰日月，褻瀆和攻擊這位人類聖者，使我日夜不安，每次想起都非常難過。

417 孤獨感是詩人走進內心世界的第一步，深邃的詩篇也從這裏產生。李後主成為卓越的詩人，得益於他成為囚犯之後的孤獨感。他的前期處於宮廷的浮囂榮耀之中，沒有孤獨感，所作的詩詞雖華麗，卻只有皮膚感覺，那時他的內心是蒼白的。被俘之後，從皇帝變成囚犯，巨大的地位落差使他獲得空前的寂寞。刻骨銘心的孤獨感把他推向內心，使他進入生命深處與人間深處，最終生長出與人間世界相通的大悲情。

418 儘管嚴復、梁啟超等思想家在「五四」之前就介紹歐美各種學說，儘管林琴南早已翻譯了一百多部外國小說，但真正確立西方文化在中國的地位的是「五四」新文化運動。這個運動，打開了閘門，讓地球另一方的人類智慧滾滾流入中國。從此之後，中國這一大生命機體，多了一條大文化血脈。不管西方文化的進入帶來多少負面的東西，但不可否認的是，中國人的內心空間從此更為廣闊、更為豐富了。這不是一次量的擴展，而是一次質的擴展，這不是一加一等於二的相加，而是「一」的無窮伸延與飛躍。以「五四」這個時間點為起點，中國的億萬生命獲得擁有自由的可能，也獲得打通東、西兩大文化血脈的可能。儘管可能尚未完全變成可行，但中國未來的形象與「五四」文化先驅者所呼喚和期望的形象大約相去不遠。

419 六七十年代，曾多次到閩西山區，那裏是太平天國革命的根據地之一。我發現，那裏的房屋形狀很奇怪，每座都有個圓頂，四周牆壁用堅硬的石頭壘成，窗戶又高又小，看上去極像堡壘。實際上他們正是把房屋當作堡壘。他們生活在「官軍」與「匪軍」之間，一會兒官來，一會兒匪來，隨時都會受到騷擾，只能自我保護。沒有任何一方會尊重他們不參與鬥爭的權利，你死我活的雙方都不能允許中間狀態的存在。儘管他們只是一些男耕女織過普通日子的小老百姓，但也不得安寧。中國現代知識分子的處境很像這些老百姓。革命時代兩大營壘生死對峙，佔據一切地方，沒有留下第三地帶即第三空間；這個地帶的人們既不革命也不反革命。中國現代文化史上有一部分知識分子想當逍遙派與第三種人，就希望生活在這個地帶，但他們始終得不到中性立場的權利，而自由就從這裏開始喪失。

420 許多詩人寫過「夜頌」，歌吟夜晚，覺得夜裏有更多的平靜與安寧，而且並不比白天具有更多的黑暗。他們知道人間的交易、陰謀、爭奪、殺戮主要是在白天進行的，但詩人們似乎沒有看清，這個世界的黑暗完全是黑在人心上。沒有希特拉那顆黑色的野心，哪有第二次世界大戰的血流成河屍臥千里？而希特拉的心無論是白天還是夜晚都絕對黑暗。專制的教廷、政府有些還會寬容異端，而黑暗的人心是絕不會放過一個他們所嫉妒的人才的。權力的卑鄙常被世界的眼睛所限制，人心的卑鄙都可以放肆到沒有任何邊際。

421

寫作，倘若是為了開掘生命與提高生命，那是快樂的事，即使寫得身累了，心也不會累。寫作，倘若是為了填塞生命和兜售生命，那是很苦的事。然而，作者們總是很難擺脱「著書都為稻粱謀」的命運，尤其是今天，市場覆蓋一切，也覆蓋了生命。詩、戲劇、小説全進入世界的貨櫃。此後的真作家，只能走出世界貨櫃之外，退出市場。然而，退出市場可能就要掉入清貧的苦海。下海下海，聰明人下的是富貴的海，傻子下的是苦海。

422

俄羅斯文化、俄羅斯文學根柢雄厚，很有底氣。這種底氣埋在民族的生命深處，它成為冥冥之中的無形之手。即使在最惡劣的人文環境中，這隻手仍然在深淵中推着民族命運往前走。二十世紀上半葉，俄國經歷大革命、世界大戰和專制的摧殘，但仍然出現《齊瓦哥醫生》這部文學巨著。這説明文化底氣沒有滅亡。這部小説是人性的絕唱，其主角齊瓦哥醫生的悲劇不僅是知識分子的悲劇，而且是人類優秀人性的悲劇。救人者被推出人類社會之外，成為雪野上一個身心顫抖的孤獨者，一個最無助的靈魂。這是為什麼？在難以呻吟與喘息的地底，竟然還有這種深度的大提問，這説明，俄羅斯大曠野的文化根子深進最堅硬的岩層，時代的風暴很難把它捲走。

423

從事文學，也深深感謝文學。所以感謝，不是因為文學給予職業和給予名聲，而是感謝它讓我不斷向生命回歸，向人性回歸，向人的本真本然回歸。自古以來的文學，其對人類的功勳，恐怕正是幫助人類保存了人性底層的真情感。因為有文學在，世界上無論發生什麼戰爭風暴還是自然風暴，都無法把人性底層的人性顆粒全部掃滅，人類的神經也終於沒有斷裂。

424

當年魯迅在喧囂鬧市中彷徨不安，便「躲進小樓成一統，管他冬夏與春秋」。這小樓便是象牙之塔，而他則是精神貴族。貴族也可以戰鬥，寶塔也可以成為堡壘。象牙之塔的消失，是現代社會的一大現象。美國的象牙之塔已消失了一部分，中國則幾乎全部消失。以往革命大潮再加上當下的商業大潮，把中國的象牙之塔衝擊得蕩然無存。總是聽到嘲笑、批判象牙之塔的聲音。實際上在沸騰的大社會中有象牙之塔的存在並不壞。有一些知識分子躲在象牙塔裏面壁思索，抵抗資本勢力，保持自身的尊嚴，既可以讓心靈有存放之所，又可以進行精神創造，這又有什麼不好呢？倘若社會有遠見，沒有象牙之塔也要再造一些象牙之塔，至少得讓個人自造的象牙之塔得以安寧。也許，真正的精英就保存在塔裏。

425

俄國思想家舍斯托夫的名著《曠野呼告》，論說靈魂的呼喚比理性判斷更為重要。蒼茫的大曠野中好像沒有人，其實不是沒有人，而是沒有市儈氣的人。

傾聽曠野呼喚的人是地球上一些有思想有靈魂的人。他們的內心一直聽到遠方的聲音。無論站立在什麼地方，總會聽到一種超越現實之上的神秘力量在提醒他和敦促他，使他做了壞事感到不安，而當他對世界冷漠甚至絕望時，又是這種聲音，重新喚起他生命的激情，讓他的心靈重新被良知灌滿。中國文學有的是「鄉村情懷」，缺少的正是這種曠野的呼號。

426

中國的現代文學史作者，常常在自己的「史書」中明目張膽地刪掉最有代表性的作家，活埋最重要的詩人。胡適、林語堂、梁實秋、艾青、沈從文、張愛玲都曾是「活埋」對象。當今又有一些各類二十世紀文學史、文論史編選者又在重複以往的活埋動作，也是明目張膽。其動機的複雜先不說，有一個誤解是他們以為億萬中國讀者會很快喪失歷史記憶。他們錯以為記憶是在幾個聰明人的頭腦裏，不知道記憶是在活的所有生命中。人類可能蒙受不幸，但整體人類卻不可欺負，其記憶也不可抹煞。活埋他人的人很快會被歷史所活埋。

427

五四文化改革者對孔子的批判，在爭取心靈自由的文學意義上永遠是合理的。孔子所創設的道德烏托邦雖然有利於調節外部的人際關係，卻也帶來極大的危害，這就是堵塞人的內心空間。它用許諾的方式和服從群體原則剝奪人的自由想像。從古到今，中國作家最大的桎梏是必須把個體生命納入倫理體系的專制結構中，是要作家詩人把自己交出來，服從群體的道德命令。古希臘柏拉圖要把詩人逐出理想國，固然獨斷，但他沒有像孔子如此要求把詩人的生命交給道德王國處置。放逐詩人，比把詩人窒息於群體牢籠中顯得更符合人性一些。

428 昆德拉小說名曰《生命中不能承受之輕》。輕，就是丟失了生命的瞬間感，即丟掉生命的時間分量。有意義的生命總是敏銳地感到每一瞬間的區別，如果有一瞬間，覺得生命特別蒼白，就會產生輕的焦慮。因此，它總是捕捉瞬間和深入瞬間，在瞬間中呼喚自己的生命和其他生命。哪怕這瞬間是痛苦，是折磨。天才與庸人的區別就在於，天才有瞬間感，庸人沒有瞬間感。時間對於庸人來說，每時每日每月每年都是一樣的，沒有永恆感覺，也沒有此時此刻的緊迫感覺，得過且過，做一天和尚撞一天鐘。他們的手只會捕住色，不能捕住空。

429 蕭紅去世時才三十一歲。短暫的生命卻於中國現代文學史留下一部不朽的中篇《生死場》，一部長篇《呼蘭河傳》。前者有力度，如魯迅所說：力透紙背。但我更喜歡後者。後者寫她童年時代的體驗，是成熟生命對幼嫩生命的自我擁抱。《生死場》用的是「第二手」素材，《呼蘭河傳》用的則是「第一手」素材。《呼蘭河傳》退出當代時間。但不是在自然環境下寫童年，而是在抗日戰爭的時代壓力下和氛圍下平靜地抒寫童年，這就使童年的故事獲得一種昇華。奇怪，一個三十歲的女子，怎麼會如此看透世態的炎涼，飽嘗人世的滄桑，又怎麼會如此淋漓盡致地把它表現出來？想來想去，不能不歸結為文學需要天才。

430 九十年代大陸最流行的小說是王朔的小說。小說中的角色均沒有壓迫感與焦慮感。不自由是一種壓迫，這種壓迫，產生渴望自由的焦慮；自由也是一種壓迫，這種壓迫產生對責任的焦慮。王朔沒有這兩種焦慮。存在主義者有對虛無的焦慮，昆德拉有對輕的焦慮。有虛無的壓迫感和輕的壓迫感，才有存在意義的叩問與感悟。犬儒主義抹去一切存在意義的叩問，活得很過癮。

431 現代文學史上，一部分作家追求深刻，一部分追求和諧。前者如魯迅、茅盾；後者如沈從文。魯迅深刻但未被意識形態化；茅盾深刻而意識形態化，幸而他的文學知識豐富，寫作功底深厚，留下了許多精彩細節。沈從文抒寫人性，沒有大愛大仇，但有人性的掙扎、衝突與溫馨。他在一九四九年之後被迫停筆。筆停得住，是一種力量。毅然而「止」，止於沉默，一直沉默到死。在撒謊的時代，沉默可避免沉淪，並顯示出堅毅的美。

432 「先鋒」與「頹廢」是現代派的兩極。現代派是反對現代工業化商業化的流派。因此，現代派文學藝術乃是一種反現代的現代藝術。十九世紀中葉之後，中產階級的生活變得愈來愈庸俗、市儈，藝術家們便看不起並不滿於這種外在的現實，於是內轉，轉向內心世界，與庸俗世界對立。「先鋒」與「頹廢」都採取走向內心時間的辦法與時代保持距離，但先鋒派更喜歡將來，而頹廢派則覺得時間走得太快，趕不上，既然趕不上就留在家裏，躲在屋裏，雕琢家具服飾，欣賞鏡花水月。骨子裏是更喜歡過去。

433 無名氏的《野獸、野獸、野獸》，這部作品倒開創了對革命的直接質疑。它展示：知識分子加入革命，作出人生重大選擇，相信存在先於本質並能改變他人眼中的「本質」，但同一隊伍的人則固執地堅守「本質無於存在」的眼光，於是，其被假定的「本質」總是被懷疑、被審判、被嘲弄，最後便絕望地回到非革命的此岸。無名氏固然埋名隱姓，被人們誤以為早已了卻塵緣，偏又異軍突起，令世人皆驚。他有思考，但筆下的語言常過於滾燙。一點也不冷靜。

434 魯迅在《阿Q正傳》中表現出來的時間觀並不是現實的時間觀，也不是歷史的時間觀，而是一種存在的時間觀，寓言的時間觀，所以不能把它視為辛亥革命經驗教訓的總結，而應視為它在揭示存在的荒謬，包括個人的荒謬、民族的荒謬、人類的荒謬。晚清小說的時間觀則是現實的時間觀，所以作者敍述時與角色便缺乏距離。魯迅常常悄悄地退出現實時間，「狡猾」地找到敍述的中介地位，用另一種敘述者來取代自己，從而超越了啟蒙。巴金的《家》、茅盾的《子夜》、郁達夫的《沉淪》，與作品中的角色都沒有距離。

435 中國有些詩人作家一邊寫詩，一邊則被詩所殺，一面作文，一面則被文所殺。詩名文名愈來愈大，人也愈來愈自大，愈世故。身體隨着名聲膨脹，頭腦也隨着名聲膨脹，最後身心俱裂。中國當代詩人顧城就是一個例子，顧城的悲劇看得見，而看不見的悲劇是寫作者變成自大狂、自戀狂，渾身凶氣、冷氣、流氓氣。心靈被名聲所殺，詩人不像詩人，倒像沒有人氣的陰人。陰人便是鬼。

436 人本來就很難認識自己，當了哲學家以後就更難認識自己。哲學家比作家、政治家更容易狂妄，因為他們的眼睛最容易被自己構築的體系所遮蔽。倘若沒有體系，他們也最容易被他們自己所設立的命題左右。體系與命題使他們產生幻覺，以為自己已經踏進真理的門檻，並且掌握了世界的「絕對精神」。宇宙、世界、人生極為豐富複雜，哲學家唯心唯物的劃分卻極為簡單，極為「本質化」，可是，他們卻以為自己是掌握了世界本質和宇宙「絕對精神」的形上聖者。

437 從一九八九年至今，不斷寫作《漂流手記》，寫到此時，已經是第九冊了。漂流手記，也可以說是修煉手記。寫作過程是一個提高生命質量的修煉過程。

愈是寫，愈是走出往日的陰影，愈是走到光明之處。以往雖常說光明二字，但不知光明在哪裏，如今深知光明就在自己的生命深處。作品可以把人帶入名利場，但也可以粉碎名利場，所謂修煉，正是粉碎名利場而開掘生命本來蘊藏的詩意。過去以為修煉者都在佛門之內，今天才知道佛門之外是更艱苦也是更真實的修煉場。

438 禪詩難寫。即使是王維的山林詩，雖有些禪意，終究讓人覺得是表面吟哦。禪確認世界的本體是空無，因此，真正的禪性是在人的內心深處，並不在山林深處。在山林裏悟到的空，是淺層的空寂，在繁華的塵世鬧市中和人們攀登的宮廷台閣中悟到的空，才是深層的大空無，也才是禪的深功夫。王維在山林裏還可撐住禪的門面，一回到宮廷塵世，禪心就頃刻瓦解。細讀他晚年的詩，就知道他的內心塞滿不得志的煩惱與焦慮，一點也不空。

439 書是人寫的，不是神寫的，即使佛經，也是人寫的。佛祖的理念變成人的記錄，精粹可能減半；記錄化為書本，精粹可能再減其半；經書從印度傳到中國，經過翻譯，又可能減其半。所以閱讀經書典籍，不應尋章摘句，也不應糾纏於考證某些片斷的真偽，而應走進經典深處，把握其精神之核。慧能大約看穿經典本本，所以他不迷信文字也不立文字，而直接擁抱佛祖的大心靈。然而，正是他使佛教在中國更燦爛地開花結果。

440 靈魂是半透明的存在，無論是集體的靈魂還是個體的靈魂，都是半透明的存在。這種特殊的存在，肉體的眼睛看不見，但心靈的眼睛可以看得見。魯迅的心靈眼睛格外明亮，就看清了中國人靈魂的病態。他勾畫出「阿Q」這一靈魂的意象和「精神勝利」這一靈魂的形式，全靠心靈的眼睛。心靈的瞎子什麼也看不見，倒是好過日子。心靈眼睛一旦明亮，連人的靈魂中的蛀蟲、細菌、毒液、腫瘤都看見了，脾氣就會變「壞」。魯迅無法「閒適」，老是「感憤」，實在是他的心靈眼睛過於明亮。

441 自己常常是自己的旁觀者。拉開距離看看自己，有時對自己很滿意，有時卻對自己很厭惡。托爾斯泰曾拉開一段時間距離看看自己的作品，見到精彩處便會心一笑：這傢伙，寫的不錯。但有時又非常厭惡自己，甚至想去自殺，只好把可能做上吊用的繩子藏起來。莊子夢蝴蝶，是對生命實在性的懷疑，但又是一種自我觀照。蝴蝶是另一個莊周，另一個自我。另一個自我成為一個旁觀者，帶着自然的眼睛來審視自己。蝴蝶的眼睛是中性的、本真的、素樸的。這種眼睛才能看到人生的悲劇，看到神為形所役、心為物所役的悲劇。

442 對於一個歷史事件，政治家關注的是輸贏、成敗；哲學家關注的是是非、必然、偶然；道德家關注的是善惡、好壞；歷史家關注的是真假、始末。唯有文學家不在乎成敗、是非、好壞，而是關注事件中那些活生生的生命，是這些生命的命運，情感，靈魂，是政治家、哲學家們全然看不見的潛意識，是在事件覆蓋下人性底層那些無盡的波瀾。

443 老子所講的「大音稀聲」，乃是對語言的終極性叩問。真正卓越的聲音是謙卑的，低調的，甚至是無言的。中國的詩句：此時無聲勝有聲，乃是真理。最美的音樂往往是在兩個音符之間的過渡，此時沉靜的瞬間可以聽到萬籟的共鳴。與此道理相反，心靈一旦蒼白就得靠大話來支撐，把語言加以膨脹、誇張。

444 歷史上有些思想者，不求道而得道，不學道而在道中，這是令人羡慕的幸福。他們天性中有善根，在歲月的煙埃中顛簸又未失正直的品格，因此就天然地接近真理和把握真理。「朝聞道，夕死可矣」，聞道就是目的，聞道就快樂。聞道之後不佔有道，不作道的權威，更不想當道主，救主，於是倒可自由自在地出入於大道中。

445 卡夫卡的作品是死後才發表的，因此，他的聲音彷彿是從另一世界傳來的聲音，好像是上帝的呻吟：該怎麼辦呢？人間世界如此荒誕，人類在吞食智慧果之後變成了甲蟲，一切創造物變成迷宮似的冰冷冷的城堡，最後的審判尚未到來，人類已經處在相互審判的怪圈之中。

446

在中國當代文學中，殘雪是一個奇特的現象。她改變傳統的「寫實」、「抒情」等寫法，而創造一種「荒誕」的寫作文體。她的文學語言是中國作家中獨一無二的。殘雪的傑作《天堂裏的對話》、《黃泥街》等，一問世就震動中國文壇。這些作品的創作主體告別傳統的審美眼睛，而用現代的、「荒誕」的眼睛穿透現實，從而展示出世界的變形、變態、變質，以及中國社會和人類社會的生存困境。殘雪的感覺，不是一般作家的感覺，而是「鬼才」般的感覺。這種感覺，使她充分地看到世界的古怪與荒謬，正常邏輯中的混亂邏輯。殘雪的名字是一個標誌，她標誌着中國現代文學習慣性的思維秩序和語言秩序已經終結，另一種思維秩序、語言秩序和情感方式已經出現了。二十世紀由卡夫卡開闢的新文學傳統，結束了於十九世紀的以「寫實」與「抒情」為主要特徵的基本文學方式，開始創立「荒誕」的、叩問存在意義的文學方式，並取得了巨大的成就。而中國由於人文環境的限制，二十世紀前八十年的基本寫作方式仍然屬於十九世紀，只有到了殘雪的小說和高行健的戲劇，才創立了與卡夫卡相連接的寫作格局。這是一項從概念認知、現實認知轉變為存在認知的突破，又是寫作方式從寫實轉向荒誕的突破。

447 尼采和瓦格納原先是好朋友，後來決裂。他們倆都具有典型的德國氣質，十分傲慢。兩個人的眼睛都只看天上，不看地下，只看廣漠的宇宙，不看底層的芸芸眾生。於是，一個鼓吹「超人」，一個宣揚「日爾曼人優越」。希特拉以瓦格納的音樂伴隨一生，死前還播放他的曲子。眼睛只是朝上，不知平民百姓的個體價值，會帶來什麼災難，他們兩人的歷史可供借鑒。

448 《紅樓夢》的文學方式，不是「聖人言」的方式，而是「石頭言」和所謂「滿紙荒唐言」的方式。作者把自己嘔心瀝血寫成的絕世文章，稱為荒唐之言，不是自虐，而是為了解構聖人權威與自我權威，揚棄濟世色彩與訓誡色彩，使小說滿紙全是個人的聲音，內心的聲音。《紅樓夢》是偉大的文學，又是低調的文學。

449 尤三姐和鴛鴦，把死亡看得很輕，不怕死。一旦受辱，便不顧一切守護人格，或用一把劍，或用一條繩子，斷然把自己了結。很像《山海經》時代的英雄，沒有死亡恐懼，或撲向太陽，或撲向大海，決不猶豫。生可以生得很美，死也可以死得很美。

450 伯夷、叔齊逃亡到首陽山時，赤手空拳，但他把非暴力文化帶到首陽山。重要的不是《採薇歌》，而是他們以行為語言寫下了歷史性大詩篇。他們反對周武王「以暴易暴」，拒絕一代雄主的勝利，這不是書生意氣，而是反對以暴力的方式更換政權的理念。首陽山的文化，乃是非暴力的詩意文化。離開這種文化，歷史便充斥血腥味。韓愈所作的《伯夷頌》，禮讚的是忠貞，而不是賢者對暴力方式的徹底拒絕。

451 讀書人最容易忘記自己的生命是最基本、最重要的書籍。讀好寫好這部分，不是刻意去創造自身的傳記，而是不斷感悟，不斷修煉，不斷向精神天國靠攏。人的精彩不等於文的精彩，但人的精彩一定會推動文的精彩。作家詩人的「後勁」，不是取決於語言技巧，而是取決於自身的生命形態。或者說，是取決於生命的內功。

452 敢於「冒險」的英雄時代消失之後，聰明的人類便忙於「保險」事業。一切都納入保險公司，車子、房子保險之後，是壽命保險。壽命保險之後是精神保險，拜上帝並非真信上帝，而是要在上帝那裏先掛個號，以便死後讓上帝保證他們繼續過着安樂幸福的日子。一切都安排就緒，連進天堂的保票也已買好。現代人真是精明到極點的人。

453 文化可視為以人為起點向着天國不斷飛升而留下的痕跡。這個天國，不在飄渺的雲空，而在心靈深處，即不在身外，而在身內。因此，當我們不斷往裏走並走到精神最深處時，便和天國相逢，即和各類偉大的靈魂相逢，並將享受到相逢的大喜悦。

454 一個歷史漫長、讓同胞引為驕傲的中國偉大文化，卻產生了「阿Q」這樣的醜兒，一點也不爭氣的醜兒。這個醜兒自大、自負、自悲、自踐、自虐。父親那麼偉大，兒子那麼渺小；父親那麼燦爛，兒子的頭上卻長着癩瘡疤。五四啟蒙者讓父輩文化睜開眼睛看看自己的醜兒。正視醜，才是美的開端。

455 面對黑暗，當然要反抗黑暗。和黑暗肉搏，與之同歸於盡，自然是悲壯之路。但最好的辦法是把自己變成光明，或化為一根火柴，或化為一盞油燈，或化為一支蠟燭。能變成一縷星光更好。光明一點亮，黑暗就消失了。

456 自己往往是自己人生路上的攔路人，自己會堵塞自己的路。愚昧會堵塞通往智慧之路，這是容易明白的，但太聰明也會堵塞道路卻不易了解。太聰明伶俐，就難免世故。這就堵塞了「返回童心」之路。在專制的語境下必須張揚個性，但是誇張的個性也會堵塞自己的心胸與眼光。一旦走向剛愎自用，就不知道天地有多寬，天底下的道路有多廣闊。

457 孫悟空差一點就會變成牛魔王。他本來就和牛魔王結拜過兄弟。他之所以沒有成為魔王而成為見義勇為的英雄，只因為有一個唐僧在身邊限制與導引他。任何英雄都需要有善的導引，失去導引的橫掃一切的英雄，轉眼間就會落入魔道，走向瘋狂。英雄不怕艱險風險，卻有走火入魔的危險。

458 到海外漂泊，原來的許多東西都丟失了。朋友的信件，名家的字畫，搜集了二三十年的資料與書籍，伴我走南闖北的少年時代的照片與記憶，統統丟失了。連居住的房子都被端走了，哪裏還會有牆壁上的祝福與光榮榜？更可惜的是丟失了故鄉的小溪和北京的油條、豆漿與大街。什麼都丟失了，還留下什麼？有，還留下我身上的一份驕傲，一份隨着歲月光波不斷生長的堅實的驕傲。有了這份人的尊嚴與驕傲，就很富足，就有這面壁時的縷縷思緒。

二〇〇三年十二月三十日
美國科羅拉多大學校園

人生悟語三十八則

01

人生哲學不是「人生技巧學」，不是「人生策略學」。無須技巧、無須策略也過得很豐富、很充實的人生才是真的人生。倘若人生需要「用盡心機」，需要「世事洞明」，需要「人情練達」，那麼，這種人生還不如「無生」。王國維的《紅樓夢評論》以「老子曰：『人之大患，在我有身』」為開篇。（《道德經》第十三章原話為「吾所以有大患者，為吾有身」）因為有身，所以就有慾望，就有痛苦。我們也許可補充說，因為有身有慾望，便用盡生存技巧與生存策略，就更加痛苦。

02

魯迅的《阿Q正傳》，嘲諷的是阿Q的「精神勝利」，金庸的《鹿鼎記》，表現的則是韋小寶「生存技巧的勝利」。韋小寶出身於最卑賤的妓女之家，卻靠生存技巧從社會底層爬到「三公六卿」那樣的社會塔頂，非常得意。可惜他雖贏得榮華富貴，卻沒有贏得人格的尊嚴與人生的詩意。

03

賈寶玉到寧國府秦可卿的「上房內間」，見到一對聯，竟是「世事洞明皆學問，人情練達即文章」。這可把寶玉嚇壞了，他趕緊跑掉（忙說「快出去！快出去！」參見第五回）。寶玉的心靈能聞到這種人生哲學的臭味，說明他完全不能容忍教人「世故」、教人「圓滑」的市儈教條，能從「世故」、「圓滑」的說教中「逃亡」，才能得救。

04

莊子的「應帝王」篇，寫「中央之帝混沌」，被南海之王與北海之王盛情開鑿而開竅，結果七日而亡。這一故事提醒人們要保持「混沌」，即保持天真天籟。整個身心都混沌，當然不可能。但某些方面不開竅，例如對「榮華富貴」不開竅、對「生存技巧」不開竅，對權術、心術、詭術等不開竅，並不是「渾渾噩噩」，而是大聰大明。

05

社會的門縫很小，尤其是社會塔尖上的門縫更小。企圖鑽入社會塔尖的人們為了適應上層社會的需要，就拼命縮小自己的身軀與靈魂，努力矮化自己；另一個辦法就是把自己塗得滿身是油，把自己變得非常圓滑，雖然很會講笑話，卻把真話也當笑話。

06

走遍天涯海角，才知道人類到處都在生活，人們到處都在展開人生。人生是追求偉大好，還是追求平凡好？是逃離苦難好，還是擁抱苦難好？常常爭論不休。很多大問題未必是真問題。真的問題是人生怎樣才有詩意。偉大者可以贏得詩意，平凡者也可以贏得詩意，戰士可以贏得詩意，隱士也可以贏得詩意。德國哲人兼詩人賀德林說：「人類應當詩意地生活在地球之上」。不錯，無論選擇什麼角色，關鍵是讓自身的存在變成詩意的存在。

07 《紅樓夢》的《好了歌》，不承認追求權力、財富、功名的生活是詩意的生活，不承認「金滿箱」、「銀滿箱」是詩意目標。曹雪芹通過整部小說展示以少女為主體的詩意生命與詩意人生。至少，他告訴我們，所謂「夢」，乃是對詩意人生的嚮往。

08 如果有人問我，「你所認定的最重要的品格是什麼？」我會毫不猶豫地回答：「我的第一品格是崇尚真理。」阿里士多德的名言是「吾愛吾師，但更愛真理。」可見他正是把崇尚真理作為第一品格，為真理必須對任何人說真話，包括對老師說真話。對政府說真話難，對朋友說真話也難，對老師說真話更難。但為了求索，該說的話就要說，這才有「正直」，才有通向真理之路。

09 我常告誡自己：不要讓忙忙碌碌的功利活動埋沒了「人」，從而偏離了人本身的軌道。人本身的軌道是由「誠實」、「正直」、「善良」、「同情心」等基本材料鋪設而成的，是區別於禽獸而使人之成為人的基本品格構建的。

10 帕斯捷爾納克《齊瓦哥醫生》的主人公支持革命，並在革命烽煙中去救援受傷的戰士。但他最後迷惘了。原來，革命要反對「舊世界」，就是要摧毀那些

「日常的生活秩序」，連情愛也被放到「舊世界」之中。帕斯捷爾納克不是詆毀革命，而是提醒：「革命」不是讓人不得安生，而是讓人更好地展開人生。

11

我的人生既然是一個精神生產者，那麼，好好勞動寫作，便是我的本分。但我必須守持一個生產者的原則：只生產原創品，不拿他人的二手貨，也不出售二手貨。我讀書研究，就像礦工，是自己去開掘與發現，與收購破銅爛鐵的小商販完全不同。

12

「手段」比「目的」重要，「過程」比「結果」重要。我寧可讓人生「無目的」，「無結果」，也不願意使用黑暗的手段。我不相信使用卑鄙的手段會導致崇高的目的。托爾斯泰與甘地所以主張絕對「非暴力」，正是他們明白用血腥的手段難以抵達文明的目的。在日常生活中，如果處處都想到「目的」，這種生活，至少是太沉重。

13

孔子讚揚顏回雖然過着「一簞食，一瓢飲」的質樸生活，但仍然沉浸於快樂之中。陶淵明辭官回鄉之後，家中僅有幾畝薄田，但也就可以領悟天地之大美和身邊茅棚農舍的無盡詩意。詩意的生活往往很簡單，只是在簡單的生活中總有不簡單的思索與領悟。

14

進化論的一個重要思想是「適者生存」。這一生物學的真理不能成為我的人生真理。因為「適者」只是適應外部（環境）的選擇，沒有自己的選擇。適者可以成為社會的順民，但難以成為自己。所以適者只是聰明的「存在者」，不是澄明的「存在」。

15

人有兩個角色：世俗角色與本真角色。而人生的詩意全在本真角色中，可惜多數人都把生命投入世俗角色，因為世俗角色可以帶來世俗利益。一個作家詩人，僅僅守住自己的本真本然，常會貧困潦倒，而一旦獲取世俗桂冠，如「主席」、「委員」等，便有汽車、秘書、房子，所以，爭奪世俗名位便成了一種文壇風氣。

16

白居易曾寫過《中隱》之詩。既當不了隱居於「朝市」的「大隱」，也當不了隱居於「山林」的「小隱」，便選擇既在朝廷裏當官又在家裏玩山玩水玩詩的雙重角色。既可享受俸祿、過衣食無憂的好日子，又可享受一些隱士的閒情逸致。真是聰明極了。但在此種選擇中，詩人實際上付出最寶貴的許多本真情感與本真思想，但他自己不知道。許多羡慕「中隱」生活的人，也不會知道「中隱」狀態並非詩意的人生狀態。

17

曹雪芹不像白居易如此「聰明」。他徹底隱居了。不僅「真事隱」，而且「真名隱」、「真姓隱」，埋名隱姓地投身於寫作，以致讓二百年後的今人還為《紅樓夢》的作者是誰爭論不息。如果曹雪芹也選擇「中隱」，那就沒有中國文學第一偉大經典極品《紅樓夢》的誕生。

18

所有關於美的定義，應以康德的「美乃超功利」最為經典、最為精闢了。如果將此定義引入「人生」，那麼，可以說，人生之美在於「超勢利」。超尊卑之分而尊重一切人，超貴賤之分而平等對待一切人，這便是人生之美。由此還可以引伸說：勢利眼乃是最醜陋的眼睛。

19

看了蒲松齡的《聊齋志異》，便覺得「文學可以把鬼變成人」。看了宮廷中的政治戲劇，則覺得「政治可以把人變成鬼」。政治這部絞肉機，總是把人絞成魔。政治講「權力」，經濟講「利潤」，文學講「超功利」。政治就是政治，經濟就是經濟，文學就是文學。文學中人就是不可涉足政治與市場，涉足等於趟渾水。在政治之中浸泡久了，好人也會變得人不人、鬼不鬼。既然選擇文學人生，那就必須生存在政治之外與權力之外，充當政治是非的「檻外人」。

20 尼采煽動我們去充當「超人」，慧能卻規勸我們當個「平常人」。尼采雖然高超，但他自己卻變成了瘋子。慧能雖然低調，卻很清醒。他提供的人生選擇，倒是告訴我們，人生不宜太浪漫，太誇張，太空洞，太虛妄，「放下身段」，腳踏實地，讓心靈一步一步走向與天地共和的高遠境地。這雖屬平常，卻絕非平庸。

21 易卜生的戲劇《國民公敵》給我啟示，你想堅持真理，就不僅應當不怕孤獨，而且應當不怕孤立。孤獨只是寂寞而已，孤立則是「眾矢之的」，連安寧也沒有。

22 本想與大眾打成一片去展開人生，後來才發現大眾只需要利益，只需要平均數，他們不需要思想，也不需要打破平均水平的異數。還發現，他們只需要李逵與武松，不需要賈寶玉與哈姆雷特。

23 「自知之明」不容易。如果不是讀柏拉圖，我就生活在「洞穴」中而不自知；如果不是讀魯迅，我就生活在「鐵屋」中而不自知；如果不是讀高行健，我就生活在「自我的地獄」中而不自知。不僅在洞穴中是囚犯，在鐵屋中是囚犯，在自我生命中也是囚犯。

24

人生絕無「輕巧」可言，二十多年前我就拒絕一種世俗神話，並寫下戒語：生活中最離奇的神話，是說一個人無需付出誠實的汗水，卻贏得花果滿山。

25

我走過祖國的許多地方，發現有富饒的，有貧瘠的；有酷熱的，有嚴寒的；有平坦的，有崎嶇的；有美麗的，有不美麗的，但沒有發現哪一片土地不值得我愛。

我走過世界的許多地方，也發現有富饒的，有貧瘠的；有酷熱的，有嚴寒的；有平坦的，有崎嶇的；有美麗的，有不美麗的，但沒有發現哪一片土地不值得我關注。

人生要看要想要愛要研究的地方太多，真沒時間去作無謂的空嘆。

26

在美國多年，方明白美國最深刻的危機乃是精神底蘊的衰弱。其精神底蘊，一是新教（基督教）倫理；二是早期立國精神。沒有這兩項，就沒有根基。人生其實也如此，「精神底蘊」一旦瓦解，人就會整個崩潰。所以人除了要不間斷地吃飯之外，還要不間斷地讀書與思索，不停地充實那一種看不見的底蘊。

27

人生哲學最後的難點是「看破了紅塵」之後怎麼辦？看透了世界，看破了榮華富貴，看穿了「造化的把戲」（魯迅語），抵達了思想的深淵，這很好，可是看破了之後又不能自殺，那該怎麼辦？這才是哲學的真難題。西方的天才作家們發現世界的本質乃是荒誕，可是發現荒誕之後還得在世界上生存下去，那該怎麼辦？我所以喜歡魯迅，乃是他在彷徨無地後又站立於大地，看透世界之後又努力工作於人間。

28 曹雪芹顯然看透了「色」，悟到了「空」。他悟透並「看破紅塵」之後卻不辭「十年辛酸淚」而寫出《紅樓夢》這一千古絕唱。可見他看破了之後還是要努力生活，努力寫作。只是看破之前的所思所想與看破之後的所思所想大不相同。因為看透了榮華富貴的虛無與空空蕩蕩，才明白人生的根本，也才能創造出那麼多遠離顛倒夢想的詩意生命和詩意故事。

29 多年前，我就寫過：想起往昔的歡樂，我感到痛苦，因為歡樂已成為過去；想起往昔的痛苦，我感到歡樂，因為我已戰勝了痛苦。人生其實就是歡樂與痛苦的不斷輪迴轉換。所以禪宗勸告人們，無論是在大歡樂中還是在大痛苦中，都應守持一顆平常之心。有這種心靈狀態，就可主宰情緒，而不會被情緒所主宰。

30 我從《伊底帕斯王》這個大悲劇中讀出了大荒誕。「殺父」是荒誕，「娶母」也是荒誕。伊底帕斯王想逃離荒誕，卻總是逃離不了。高行健的《逃亡》也是表現想逃離卻總是逃離不了的荒誕。如果存在真的如此荒誕，那麼，人生是否還能賦予荒誕存在以意義呢？人生的詩意是否還有可能呢？如果可能，那麼，何處是詩意的開始呢？人生，人生畢竟不僅是形而下的滿足，它還有形而上的困惑。

31

偉大的天才畫家米高安哲羅在梵蒂岡作《創世紀》的天頂畫時，宗教還統治着一切。可是，他在這幅宗教題材的大畫中，卻不選擇「神跡」，而是選擇「人生」。畫中的數百形象，其實都是「眾生相」，所有的人物都不是「臉譜」，而是充滿喜怒哀樂的「人性」諸相。在宗教覆蓋一切的時候，他卻能借「上帝」的外殼，注入如此巨大的人性內容，從而創造出舉世無雙的藝術奇觀。米高安哲羅暗示全人類：無論你做什麼事，首先要面對的應是艱難而豐富的人生。

32

有位朋友說：所謂人生，就是「拼搏」二字。說得好。「拼搏」什麼？對於我來說，拼搏意味着不惜一切力量捍衛個人尊嚴與個人思想自由，並把尊嚴與自由牢牢掌握在自己的手中。不把自由交給市場，即與市場拼搏；不把自由交給時尚，即與時尚拼搏；不把自由交給媒體，即與媒體拼搏；不把自由交給大眾，即與大眾拼搏；不把自由交給社會，即與社會拼搏。

33 荒誕是人的理性渴望與無理性的世界存在所產生的矛盾。可是，人本身往往也沒有理性，於是，自身也變成一種荒誕的存在，我讀高行健，總是欣賞他把自己放入荒誕世界中，不僅戲弄外部世界的荒誕，也質疑自身存在的荒誕，並通過作品不加粉飾地呈現主體世界的混沌與混亂。這種對於自我的省觀，便是人生歷程中的自救。誠實的自救就從正視自身的荒誕開始。

34 做人與做事並不相等。論做事，注意「不要把簡單的事情複雜化，也不要把複雜的事情簡單化」。這顯然是對的，而且是做事的重要原則。但做人卻不同。做人恰恰需要簡單，需要在複雜的社會環境中努力「純化」自己，也可以說是「簡化」自己，包括簡化人際關係。人總是單純一些好。

35 學界中人（也包括部分社會中人）大約可分為四類：一是學深人深；二是學深人淺；三是學淺人淺；四是學淺人深。

第四類是學問差，做人卻很世故圓滑，甚至很有心機。最後變成「老狐狸」。第三類是沒有什麼學問，但做人也很簡單，屬於一般的「老百姓」。第一類學問做得深，可是人也做得深，兩樣都有「深心」都有深謀遠慮，這種人可畏而不可親，也未必可敬。最好的是第二類，學問、思想都深邃，卻保持人的本真性情，甚至天真天籟，這類人極難得。像王國維就是屬於這種最可愛的人。他投昆明湖自盡，既因為深，也因為淺。

36

高行健、莫言獲得諾貝爾文學獎之後遭到許多非議，這才讓人相信，中國確實有許多「葉公好龍」者。葉公之「好龍」，只在口頭上，不在行為上。他的「好龍」心理是分裂的。這種心理完全可以作為一種長久性的病例進行分析。說說龍的故事和發發「好龍」的宣言，比較容易。但真龍一旦來了，就不那麼簡單，這就要面對龍的光彩，這種光彩肯定會沖淡葉公這類話語英雄的光彩，因此就會產生恐懼、嫉妒等種種心理，此時好龍者便轉化成恐龍者或打龍者。

37

中國的儒、道、釋，對「做人」都有幫助，尤其是「儒」，它把做人的基本規範都說得很明白。要正經做人，確實離不開孔子的教誨。但是如果「走火入魔」，也會帶來問題。儒對人的要求甚嚴，本是好事，但是如果嚴而苛，要求太高，就做不到，做不到又要維持面子，那就只好「裝」，裝便是虛偽。此時道德就變成偽道德。五四反的正是這種偽道德。莊子的思想可以幫助人從過於嚴密的人際關係中解放出來，使「自我」贏得自由。但如果極端化，也會走向自私或冷漠。釋家的大乘與小乘，各持一端，但也不可走火入魔。「普渡眾生」一旦強調得過分，就沒有自我的位置；而「自我修煉」強調過分，則沒有人間關懷。

38

西方文化的重心是講「合理」（還派生出「合法」），中國文化的重心則是講「合情」。合情文化的長處是使人間增添了許多人際温馨，壞處是常用情感取代原則，拿原則去「走私」，從而導致「走後門」之風十分盛行。當下中國「關係」決定一切，便是合情文化的負面結果。「合理」必須遵循起碼的因果邏輯，如因為他有才有德，所以才被信任提拔。但「合情」文化沒有這種邏輯被信任只因為「人情練達」，只因為「關係」起了作用。

原載《讀書》二〇一三年第五期

文學筆記二十一則

01

寫作是「表達」，而不是刻意「立言」，更不是為了「立功」、「立德」。禪宗乾脆不立文字，以心傳心，這一極端方法卻立了大自由。禪是一種表達與立身的自由態度，這是對立言、立德、立功意識的消解。禪打破手與心之隔，打破表達與生命之隔，它提示作家應有的角色乃是心靈的呈現者，人性和人類生存環境的見證者，而不是功名的追求者、謳歌者與締造者。

02

蘇格拉底是被希臘「民主政治」下的大眾處死的，並非被專制暴君處死。這是天才與「多數」的矛盾。天才是突破已有水平的異數，追求的是思索的高度與深度，而民眾則要求思想的平均數，守持的是日常生活的基本向度。兩者都有道理，這可說是人類永恆的悖論。民眾出賣英雄、出賣天才的事件，每個歷史時代都有。天才被民眾所利用，也被民眾所扼殺，這種悲劇永遠不會落幕。說民眾是文學最公正的裁判者，這就完全錯了。民眾永遠是蘇格拉底的審判者與劊子手。所謂大眾文學，其立場也是迎合多數，犧牲蘇格拉底。

03

杜斯托也夫斯基的著名小說《罪與罰》，描寫主人翁在認罪與恐懼之間徘徊，在天上的法律（良知）與地上的法律之間徘徊。這之前，莎士比亞的馬克白，也是如此。他殺了鄧肯王之後，感受到「天譴」，陷入犯罪與贖罪的焦慮之中。西方的經典文學，罪與罰是高等數學，罪有多深，恐懼就有多深，作家對生命的開掘也因此而深邃。

中國文學缺少這種維度，往往把罪與罰變成因果報應的簡單算式；把肇事的壞蛋繩之以法，以求皆大歡喜。《竇娥冤》等戲劇，只讓人看到被迫害者的遭遇，看不到迫害者的心靈衝突，對於罪沒有形而上的拷問，對迫害者沒有心靈的開掘。

04

海明威這個「人」，渾身都是個性，也渾身都在散發生命氣息。他的生命特徵是行動大於「學問」，但其行動不是拉幫結派，而是獨往獨來。他不喜歡文學團夥，卻喜歡與「大自然」緊密結盟，他與自然的關係大於和「人際」的關係。說「人是社會關係的總和」，這一定義，對他絕對不合適。海明威與自然關係的總和，其重量超過他的社會關係總和，何況他那獨特的血肉，更是在社會關係之外，我國的莊子，其社會關係的總量也遠小於自然關係的總量，人和文學都太豐富，都很難定義，一旦定義，就陷入本質化即簡單化。

05

福柯、德希達、拉岡等思想者也談文學，但他們的理論有一致命的缺陷，這便是沒有審美的感覺。二十世紀造就了一批文化思想者，這些思想者的本質是造反派，他們有批判能力，而且借文學批評進行社會批判，可惜都沒有審美能力。百年來文學藝術不斷革命，不斷顛覆，其最大的負面作用，就是以理念代替審美，以哲學代替藝術。若與福訶、德希達談美，就如與夏蟲語冰。

06

德國哲學家謝林（Sclelling）說藝術勾銷時間。他沒有說，藝術可以勾銷空間。不管文學，還是藝術，都是站立在空間向度上，而不是站在時間向度上，也就是說，在人的內心深處與人性深處，時間沒有意義，一瞬間與一萬年沒有分別。對於作家，不僅是萬物皆備於我，而且是千秋萬代皆備於我。真正的詩人把王朝的更替不當作一回事，也把家國一時一地的嚴格界線推向無意義。唯一有意義的是捕住瞬間，深入瞬間，通過瞬間而抵達時空的無限。

07

如果借用佛教的「大乘」和「小乘」兩大概念來劃分與描述作家，「小乘」式的作家偏重於獨善其身，弘揚個性，追求生命自由；「大乘」式作家則偏重於擁抱社會，關心民瘼，富於大悲憫精神，而能兼兩者的長處最好。但兩者都可能「走火入魔」，前者走火入魔，則孤芳自賞，我行我素，冷漠人間；後者走火入魔，則以救世主自居，把自己的良心權威化，並以此號令社會。魯迅說自己常在「個人主義」與「人道主義」中起伏，也可說是在「大乘」與「小乘」的兩種傾向中搖擺。托爾斯泰的晚年已兩者兼得。曹雪芹也是兩者兼得的天才。

08

心靈不是社會，不是國家，不是歷史：心靈沒有時間維度，只有空間維度，而且是無邊界的空間維度。心靈的幅度與宇宙同一。文學是心靈的事業。文學所有的要素中，心靈屬第一要素。因此，不能切入心靈的文學，不是最好的文學。《封神演義》雖然情節離奇，但文學價值很低，就因為它與心靈無關，晚清譴責小說雖鞭韃黑暗，但未切入心靈，所以文學價值也有限。《金瓶梅》與《紅樓夢》的差距，關鍵是心靈切入度的差距，其心靈的粗細之分，深淺之分，雅俗之分，幾乎可以一目了然。

09

用哲學的大觀眼睛看文學，可見到中國文學多數作品的精神內涵屬於「生存」層面，而非存在層面。卡繆曾說：「哲學的根本問題是自殺問題，決定是否值得活着是首要問題。世界究竟是否三維或思想究竟有九個還是十二個範疇等等，都是次要的。」（《西西弗斯神話》）莎士比亞的《哈姆雷特》，其主人翁焦慮的是「生存還是毀滅」，是選擇生還是選擇死？如果選擇生，這生的意義何在？這是存在問題。如果說，《哈姆雷特》和許多西方經典的基調是生與死的二重變奏，那麼，中國文學的基調則是「仕或隱」，「聚與離」，以及國家的「興與亡」的二重變奏。但是，中國也有對存在意義提出叩問的大詩人，如屈原、曹操、李煜、蘇東坡、曹雪芹等。屈原自沉汨羅江的行為語言，提出的便是自殺問題即生死的大叩問。

10 以賽亞・柏林把自由分為積極自由與消極自由，這是他的思想發現。積極自由是奮鬥抗爭的自由，消極自由是拒絕的自由。如果用中國的語言加以演繹，有所為的自由固然難得，但「有所不為」的自由也極為寶貴。沉默的自由、逍遙的自由，隱逸的自由，都屬於消極的自由。「躲進小樓成一統，管它冬夏與春秋」，此種自由也是消極的自由。中國的隱逸文學其本質屬於消極自由的文化，即拒絕各種權力規定的文化。隱逸文學表面上是柔和無爭，內裏卻有守衛自由與拒絕黑暗的力量。

11 站在「人」的立場與站在「人類」的立場是很不相同的。「人」的立場實際上是個體生命立場，而「人類」立場則是人類寄存的社會立場。站在人類的立場上，便強調為社會進步而犧牲個體生命，而站在人的立場，則強調每個生命個體的絕對尊嚴和重要性，個體不可充當社會進步的工具與社會革命的祭品。二十世紀的傾向性文學強調「人類」立場甚至國家立場，批判「人」的立場，結果是文學離人性個性愈來愈遠。所以，可稱文學是「人學」，但不可稱文學是「人類學」。

12 嵇康在臨刑前還從容地彈奏《廣陵散》，這是在生命最嚴峻的時刻所表現出來的瀟灑。這種瀟灑的內涵豐富到永遠難以說盡，其詩意也永遠不會消失。這裏有對斷頭台的蔑視，有對強權的抗議，有對鬼蜮的嘲笑，有對朋友的告別，有對哲學的選擇，有對宇宙的認識，有對人生的感悟，有對存在的提問。

而殺害他的司馬氏及其龐大的國家機器，其重量哪能與這一曲《廣陵散》相比呢？其家族浴血征戰與苦心經營的王朝全被這一散曲琴歌否定了。千百年來，正直人一聽到這支曲子，就會想起一個頂天立地的偉大歌者。在靈魂的層面上，勝利者是擁有中國文學史上最高人格的嵇康。文學藝術的力度是與作家的人格美相連的。

13

文學天生是向善的，也天生具有人道關懷。但文學不是按公眾的道德標準寫作，它有自己的道德，這個道德的核心是個「真」字。不欺騙讀者，寫出內心的真實和外在生存環境的真實，便是作家的道德。文學不是法律，但作家必須具有自己的內在律令。勿撒謊，說真話，這是最高的律令。康德所說的「位我上者，燦爛星空；道德律令，在我心中。」在康德看來，道德便是實現內心的絕對命令，為了服從這一命令，可以犧牲快樂幸福，這才顯示出崇高。為了說出真理，敢於犧牲金錢、地位、桂冠等，這才是詩人的善。

14

世界近、現代最偉大的女性作家恐怕要算維珍尼亞·吳爾夫了。她是一個梵高式的人物，進入文學世界到了癡迷狀態。她像梵高那樣發明了獨特的藝術語言，生前讀懂的人很少，死後卻愈來愈顯示出其價值。梵高與吳爾夫，這兩個天才，一個是畫怪，一個是詩怪。但兩人都有為藝術獻身的純粹精神與絕對精神。把吳爾夫推向河水中去自殺的，不是絕望，而是對文學至愛至癡的絕對精神：把死亡行為也當成寫作一首詩的精神。

15

《古文觀止》選了駱賓王的《為徐敬業討武曌檄》，這篇文章確實很有文采，難怪武則天要嘖嘖稱讚。但武則天不害怕這種只有文采而沒有思想的討伐文章，因為它不能擊中要害。另有一篇屬於清代的檄文（《古文觀止》只選到明代），是曾國藩所作的《討粵匪檄》。這篇討伐太平天國的宣言書，詞章雖不如駱賓王漂亮，卻高屋建瓴，勢如破竹。它的要點不是譴責太平軍企圖推翻滿清王朝，而是「聲討」它摧毀中國數千年的人倫文化。選擇這一角度，便佔領了思想制高點，贏得了知識分子之心。中國散文雖重文采，更重文心。曾國藩的高明正是捕住了文心。王國維所講的境界，也可解釋為文心的高級層次。

16

只要閱讀《閑情偶記》，就知道李漁的才力非同一般。他什麼都懂，什麼都會寫，潛在的才能可能不遜於曹雪芹。可是，他倆的文學成就，卻一個在天上，一個在地下，真有霄壤之別。這原因便是一個有強大的靈魂支撐，一個則沒有。而強大的靈魂是穿越煉丹爐的苦難而誕生的。文學的嚴酷性就在這裏：只有「閒情」，沒有人生磨練，便沒有大創作。李漁活得太閒適，便失去大靈魂的支撐。

17

《三國演義》把春秋戰國時代兵家與縱橫家的詭術引入文學，從而開闢了中國文學的心術傳統，變成一部心機與陰謀的大全。《三國演義》發生巨大影響之後，中國人心的質樸便走向消亡。五四運動的先驅者，發現儒家文化對中國人心的毒害，尤其是被宋明理學改造過的儒家文化的負面影響，但是，沒有發現有一種對中國世道人心毒害最深的文化，這就是《三國演義》和《水滸傳》這兩部小說所集中體現的「三國文化」和「水滸文化」，這是權術文化、暴力文化和流氓文化的總匯。

18

文學藝術家有三類：用頭腦創作者；用心靈創作者；用全生命創作者。所謂用全生命，包括意識與無意識，天才的創造特點，是無意識的創造，即神的創造與靈感的創造。楊慎說：「莊周、李白，神於文者也，非工於文者所能及也。文非至工，則不可神；然神，非工之所可至也。」（《總纂升庵合集》卷二十一），這裏所說的「工」是人為的刻意的努力，而「神」則是自然的無意識的湧流。中國文學家中能「神於文」者的天才除了莊周、李白外，還有曹操、陶淵明、李煜，李賀、蘇東坡等，而曹雪芹則是又神又工。唐代詩人中，李白與杜甫的區別，李賀與賈島的區別，便是「神於文」與「工於文」的區別。

19

中國散文出現過多次高潮：先秦諸子散文，唐宋八大家散文，明末散文。唐宋八大家散文技巧極為成熟，文采斐然。但是，除了蘇東坡之外，其他散文都沒有先秦散文那種「元氣」。所謂「元氣」，就是天地混沌之氣，原初創造之氣。先秦諸子各家，都有自己一套草創的思想蘊含於文字之中，到了唐宋八大家，雖然每一家都有自己的「腔調」，卻沒有先秦時的大氣勢，也沒有那時的大境界。明末散文雖有性情，但多數失之太輕，也無元氣。

20

李後主的「夢裏不知身是客，一晌貪歡」，歷來都被放在「生存」層面上闡釋，即解釋為夢裏忘記了自己是被羈的囚徒，姑且尋找瞬息的歡樂以麻醉自己，這自然沒有錯。但李煜的這句詩也可以放在宇宙的語境中解讀。那麼，便可讀成：人類來到地球，常忘記自己不過是匆匆來走一回的過客，人所能享受的也只是當下瞬間的一點歡樂，不可過於執着，即不可太執着於那些功名利祿的念頭，也不可有重繪世界地圖或重繪文學地圖的癡心妄想。

21

魯迅的偉大，我已說過很多話，但我並不把魯迅的一切都當作楷模。他的生命狀態非常特殊，那是一種每時每刻都處於被敵意與惡意包圍之中的狀態。當時確實有惡意在，但他敏感過頭，反應也過頭。一件小事，也要以眼還眼、以牙還牙，連吃魚肝油，也聲明不是為愛人，而是為敵人。這說明他在日常生活中也處於戒備狀態與作戰狀態。儘管可以理解，但不必在敬重他的時候，也繼承他的這種生命狀態。這樣做就沒法活。

原載香港《城市文藝》

附錄：片斷寫作的空間詩學與時間詩學

劉再復「悟語碎片」論略

喬敏

二十世紀八十年代，劉再復因為寫作《魯迅美學思想論稿》、《性格組合論》與《論文學的主體性》，成為當時最具影響力的文學批評家之一。受李澤厚所闡釋的康德主體論影響，「文學主體性」成為劉再復追尋文學自主、學術自主的重要表達，引起彼時學術界的廣泛討論。但一九八九年的去國離鄉，改變了劉再復文學生涯的路徑，此後，在繼續思索主體性理論建構的同時，他將大量時間和精力投入於散文創作上——十卷本的《漂流手記》應時而生。在異國他鄉近三十年的漂泊旅程中，劉再復以散文記事抒懷，對「自我」、「家國」等話題進行了主題式沉思。在其十卷本散文著作中，尤其引人注目的是「片斷式散文」，或稱作「悟語體散文」。這種體裁的寫作試煉，標誌着劉再復於傳統寫作之外對文體之變的探索。

以一九九九年出版的《獨語天涯：一千零一夜不連貫的思索》為起點，劉再復迄今已寫下逾兩千五百段片斷式散文，除專書《獨語天涯》和《面壁沉思錄》全本收錄片斷散文外，其他片斷收於《紅樓夢悟》、《紅樓哲學筆記》、《雙典批判》，或散見於《共鑒滄桑》、《審美筆記》與《讀書》雜誌中；《西遊三百悟》則是劉再復最新的悟語片斷。正如作者本人所言，在這種違背恆常寫作程序的「反寫作」策略中，作家得以自由表達、自由書寫。[1]

本文試圖以劉再復的片斷散文為研究對象，從空間、時間兩個維度探討這種新文體寫作嘗試的詩學與意義，論述劉再復在其流亡旅程裏，何以選擇片斷寫作這種形式作為其重建主體身份的嘗試；其寫作的內容如何與中國當代的歷史語境相勾連，卻又深入到形而上的哲學領域；以及他如何在破碎中——以漂泊的空間詩學和追求永恆的時間詩學——進行了自我靈魂的重整。

片斷寫作與漂流主體

作家兼編輯 Guy Patrick Cunningham 將片斷寫作視為規避傳統文學單一線性敘事結構的「先鋒寫作方式」，與當今數字化的碎片時代相合。[2] 但碎片文體早已存在，如馬可·奧里略（Marcus Aurelius）的《沉思錄》被後世學者視為片斷寫作的濫觴之作。在十八世紀後的西方，碎片文學更成為一種廣泛的可能。德國作家利希滕貝格

1 劉再復：《獨語天涯：一千零一夜不連貫的思索》（香港：天地圖書出版社，1999），頁 317。

2 Guy Patrick Cunningham, “Fragmentary: Writing in a Digital Age,” https://themillions.com/2012/01/fragmentary-writing-in-a-digital-age.html (accessed August 30, 2018).

（Lichtenberg）的《格言集》、法國文人儒貝爾（Joseph Joubert）的《隨思錄》，均可視為片斷書寫的代表。來到二十世紀，費爾南多・佩索亞（Fernando Pessoa）的《惶然錄》、尼采（Friedrich Nietzsche）的《查拉圖斯特拉如是說》、薩繆爾・貝克特（Samuel Beckett）十三篇散文碎片結集的《無所謂的文本》（*Texts for Nothing*），都可以稱為片斷文體的經典作品——那些靈光乍現的瞬間，以不加修飾的原初表現形式得以留存。西方理論家將片斷寫作的興起視作文學現代性的表徵，以捷爾吉・盧卡奇（György Lukács）為代表：他將片斷文體視為「史詩形式（epic form）的對立面，而後者已然是相對古早且圓融完整的文明的產物，在被各種碎片撕裂的現代世界裏趨向末路。」[3] 與此相反，片斷文學則恰逢其時，其斷裂、不完整性成為一種意義，與現代主義所提倡的疏離感及打破連貫結構等訴求一致。因此，碎片成為一種現代的表達形式，借用霍拉斯・恩格道爾（Horace Engdahl）的評論：「反古典主義的先鋒派把真實性的要求轉移到了表現方式本身。」[4]

---

3 See, John Anthony Cuddon, *A Dictionary of Literary Terms and Literary Theory* (Hoboken, NJ: John Wiley & Sons, 2012), 241.

4 霍拉斯・恩格道爾，萬之譯：《風格與幸福：文學論文集》（上海：復旦大學出版社，2007），頁 41。

然而對於劉再復而言，片斷寫作的意義不止於它的先鋒性或現代性，他自從受到尼采與泰戈爾的表達方式影響，便鍾情於可以自由表述、隨時記錄沉思之核的片斷文體：因為這種表達方式「沒有專業者的權威面孔，而有從專業固定地盤游離出來的漂泊者的活氣」。[5] 這句剖白表明了劉再復選擇片斷寫作的兩個重要原因。

第一，劉的片斷書寫力求不事「體系」（system），拒絕大結構、程序與專業者的權威，這份追求與愛德華·薩伊德（Edward Said）提倡的「業餘者」不謀而合。在薩伊德的觀點中，專門化（specialization）代表了體系中的工具性壓力，意味着「昧於建構藝術或知識的原初努力，結果就是無法把知識和藝術視為抉擇和決定、獻身和聯合，而只以冷漠的理論或方法論來看待」。而薩伊德理想中的知識分子應具有「業餘性」，即「拒絕被某個專長所束縛，不顧一個行業的限制而喜好眾多的觀念和價值」。[6] 在劉所著的片斷中，他游離於體系之外，竭力避免受限於專業知識，而流向狹隘或屈服於權力和權威。這種廣博與自由正體現出碎片為作者贏得價值：「因為我自由思想，所以我贏得人的全部尊嚴和全部價值。」[7]

5 劉再復：《獨語天涯》，頁 318。
6 愛德華·W·薩義德，單德興譯：《知識分子論》（北京：生活·讀書·新知三聯書店，2016），頁 84。
7 劉再復：《獨語天涯》，頁 85。

第二，「片斷」文體呼應了劉再復因流亡異鄉而破碎的主體身份。評論家 Iain Chambers 認為，遠離故土帶給人碎裂感、疏離感，影響主體的身份認同：過去想像的自我是完整而健全的，但是漂流的經驗卻打破了這種想像，使之成為泡影。[8] 換言之，流亡者動盪的生活造成其主體身份的碎裂。基於這一點，他們會順理成章選擇片斷文體，因為這種「離家漂流」的經驗不停召喚出過往記憶的碎片與反思的瞬間。但是，更值得深思的是，劉再復雖然選擇了片斷寫作，他卻始終沒有放棄對「完整」的追尋。或者說，他始終在探究「碎片」與「完整」之間的關係，並在二者的張力間書寫。在《獨語天涯》的片斷中，劉再復表達了自己對「還原」、「完整」的追求：

> 此後，我還會有關懷，然而，我已還原為我自己，我的生命內核，將從此只放射個人真實而自由的聲音……
>
> 驚覺之後，我在鏡子裏看到的自己是完整的，不是碎片也沒有裝飾。這是生命的原版。母親賦予的生命原版，不再被意識形態所剪裁、所截肢、所染污的生命原版……

8 Iain Chambers, *Migrancy, Culture, Identity* (London and New York: Routledge, 2008), 25.

> 在這個被稱作「後現代」的喧囂社會裏，人與文化均成了碎片，而我卻能贏得一份完整，並能以此種完整去領悟神秘與永恆，這又是何等的福分……[9]

由此而知，寫作的形式雖然破碎，但寫作者的主體卻因而得以完整和屹立，這也許是碎片書寫最重要的意義之一——「有這次破碎，才有靈魂的重整」。[10] 在破碎與完整之間，正是劉再復的漂流主體，一個告別了過去的榮光與知名度、通過自我審視與自我放逐開啟了「第二人生」的寂寞漂泊之旅的新主體。而經過破碎後的還原，才有所謂靈魂的真實與完整。

關注片斷寫作的形式意義是重要且必要的。對於作家的文體自覺，評論家黃子平認為，「體裁」與「權力」息息相關，因而產生「體裁秩序」，即體裁會隨着時代潮流而有邊緣與中心的位移。魯迅晚年其一持之以恆的工作，正是為「邊緣體裁」的合法性辯護與抗爭。[11] 雖然碎片文學在西方的文學傳統中其來有自，但其相較於其他傳統文體，仍處於「邊緣」位置。對於劉再復而言，這樣的表現形式自然與其流亡後「邊緣人」的漂流身份相合，同時更表達了一種類似魯迅的勇氣與執着。但

---

9 劉再復：《獨語天涯》，頁 5、310。

10 同上註，頁 91–92。

11 黃子平：《歷史碎片與詩的行程》（香港：三聯書店有限公司，2012），頁 99–106。

只強調形式意義，也許會忽略劉再復寫作片斷的思想內容。雖然之前已有卓越的片斷作品問世，劉再復的碎片散文在數量與內容的深廣度上，卻超越了前人的努力與貢獻。無論是奧里略、儒貝爾，還是尼采，他們的碎片感悟或格言式的警句大多具明顯的自傳性及濃厚的倫理色彩；而劉再復除了對個人生活經驗的再思考，他將其片斷寫作拓展至文學批評、文化批評、國民性批判、人類性批判與對歷史和哲學的認知等各方面，並且許多片斷並不只涉及單一內容，而是時有交叉。文學批評諸片斷，以對《紅樓夢》的再閱讀為典範，同時兼及對紅樓哲學的妙悟，以《紅樓夢悟》和《紅樓哲學筆記》中的片斷為例，在討論到這部曠世之作的文學性的同時，劉對其無象哲學、意象心學、棄表存真等形上意義投以了關切與深思的目光；而《雙典閱讀筆記》與《西遊三百悟》則在進行文化批評之外，論及對國民性、歷史的追問。在劉看來，《三國演義》與《水滸傳》這兩部名著充滿機心與殺戮，本是毀壞人心的「地獄之門」，而它們被奉為經典的事實，恰恰暴露了國人潛意識的權力崇拜與暴力崇拜。這種崇拜綿延千年，直至文革，其引發的群眾惡行更為昭彰。

可見，在內容的深廣度上，劉再復的片斷寫作無疑有着重要的拓展意義。更具體地說，劉再復的兩千餘段碎片散文與現實政治、歷史語境有着難以剝離的互動關係，同時又是極其個人的，深入到內心層面，甚至走向形而上的哲學思考。在接下來的論述中，我將集中探討劉再復片斷寫作的內容，並探究在空間詩學層面上，「家國」的失落，如何影響了他對「家國」超越地理意涵的再認識；個體的獨語，或與集體、組織的對話，如何彰顯了劉在當代歷史語境中所堅持的個人性與美學；以及他對文學經典的感悟，如何以明心見性的方式呈現道家與禪宗哲學的智慧，超越現實空間而進入形而上的領域。同時，探究在時間層面上，劉再復書寫的語言和文字的碎片如何與「死亡」、「再生」的意象相互交織，並指向一種延宕結局、追求永恆的時間詩學。

「漂泊」：片斷寫作的空間詩學

一

劉再復的第一本片斷散文著作《獨語天涯》出版於一九九九年，距離他流亡生涯之始已經整整十年。在這些碎片中，漂泊者始終以孤獨的面目示人，甚至樂在其中，與山川、夕陽、大森林的寂靜相依為伴。地理空間上的離家造成寫作中疏離的智慧：學者 Caren Kaplan 將「距離」（distance）視作主體擁有批判性眼光和視野的必要條件，認為「疏離產生遠見」。[12] 這個觀點與阿多諾（Theodor Adorno）在他以碎

12 Caren Kaplan, *Questions of Travel: Postmodern Discourses of Displacement* (Durham and London: Duke University Press, 1996), 115.

片文體寫的《最低限度的道德》（*Minima Moralia*）裏的觀察如出一轍：流亡者，無一例外都是破碎的，但與故土和自己文化的隔絕催生了批判意識，這有助他們擺脫蒙昧。[13] 這種批判性反思的自覺同樣深深烙印在劉再復的漂流寫作中：「處於兩種文化的夾縫之中，游離於兩種文化的邊緣地帶，對兩種文化都能反思，便形成自己特殊的經驗和特殊的批評位置，因而也形成自己特殊的視角。在中心之外，未必是一種勢。」[14]

除卻批判性思維，更具體而言，距離帶來的優勢更在於啟發劉再復重新探討「故鄉」的意涵。在遠離故土後回望故土，「故鄉」竟有了截然不同的意義。在以「兩個自我關於故鄉的對話」為小標題的四十五段片斷中，劉扮演了「東方之我」和「西方之我」，以對話的形式書寫地理故鄉與心靈故鄉、自然故鄉和人造故鄉的罅隙，不停地告別將故鄉浪漫化的過往。而這種分裂的自我，體現了主體在懷鄉情結與世界主義之間的徘徊，「東方之我」是在流浪中尋根的主體，而「西方之我」是認同漂流美學、反離騷的主體。但也許更重要的是，漂泊後的劉再復認識到故鄉的多層向度，當地理意義上的家國已經遠隔重洋，它的文化與精神意義反而得以彰

---

13 Theodor Adorno, Minima Moralia: *Reflections from a Damaged Life,* trans. E.F.N. Jephcott (London: NLB, 1974), 33. Also see, Caren Kaplan, *Questions of Travel*, 118.

14 劉再復：《獨語天涯》，頁 255。

顯：故鄉並不局限在天涯的一角，而是切實地活在漂泊者的心靈中和生命裏，並跟隨他一起漂泊。

因此，在地理的空間意義上，劉再復的「碎片」話語與「漂流」經驗緊密相連。阿多諾說：「對於無家可歸的人，寫作成為了棲居之所。」[15] 但阿多諾並未切實地將寫作視為對破碎人生的救贖，這固然與他所處的特殊歷史語境與所持的人文主義有關，反倒是劉再復以自己的方式實踐阿多諾的箴言，在其碎片中寫下擲地有聲的一句：「漂流使自己得救。」[16]

二

個人的際遇可以折射出國家與時代的歷史情境。在劉再復的寫作片斷中，有眾多對於「集體」、「歷史」與「暴力」的反思。例如：

> 人群乃是情緒的傀儡……群眾常常踐踏天才與處死天才。蘇格拉底不屬於任何組織和集團……他只和個人交談，視個人為絕對的、批判任何事物的生命存在。……他可見世界的哲學從一開始就是個人的聲音……

15 同上註，頁87。

16 劉再復：《面壁沉思錄》（香港：天地圖書公司，2004），頁11。

一個早晨或一個夜晚，一次權力的遊戲和一次暴力的試驗，「人間」可以立即變成「牛棚」。牛棚對我的教育勝過十所大學……

二十世紀的極權統治沒有帝王的桂冠，但常常比殘暴的帝王更為可怕……極權政治不僅產生一個主宰一切、指揮一切的英雄，還生產出無數的精神侏儒與人格侏儒……[17]

劉再復對集體與權力的排斥源於他對中國現當代歷史的認知：毛式鬥爭哲學的陰影不僅籠罩了中國的當代歷史，也深刻地影響了中國的當代文學；個人主體性被集體主義的大潮挾持甚至扼殺，而文革中的群眾暴力更引發了無數悲劇。因此，劉再復在他的悟語片斷中一再呼喚並書寫具有獨立精神與人性尊嚴的個體，深切地痛惜「集體靈魂之殤」，警惕政治運動製造的「無底的深淵」。[18] 相對於群眾、集體與組織而言，每個具體的個人都是洪流中的一塊「碎片」，在這一點上，片斷書寫的象徵意義不言而喻。但劉再復沒有將文學變成一種控訴，甚至也拒絕以此過度渲染傷痕，此時，片斷寫作的邊緣性和斷裂感的重要意義表露無遺。當一九四九年後官式語言的壓力滲入各類中文寫作後，眾多作家的語言同時也成為了國家意志與政治

17 劉再復：《獨語天涯》，頁168、170。

18 劉再復：《面壁沉思錄》，頁131–176；《獨語天涯》，頁217。

權力的表達。劉選用的悟語碎片寫作，這種黑暗中的獨語、憂鬱或悄靜的嘆息、靈魂深處的話音，正與權力體系格格不入，與官式表達方式亦背道而馳。碎片文體不僅為作家帶來思想的自由，更帶來真實的力量，一如劉再復借用德國作家圖霍夫斯基的剖白：「說謊必須前後一致，而說真話則可以斷斷續續。」[19] 在這一闡釋層面上，片斷寫作代表了一種「解構」現實虛妄並回歸本真生命的嘗試。

在歷史空間的維度上，漂泊後的劉再復全然撤退到個人個體的立場，站在人群與多數的外圍，自遠於權力中心和體制中心，因而他寫下的碎片可以被賦予特定的歷史意義，具化為審視自我與時代關係、告別革命的文本實踐。但這樣的闡釋，仍然有可能令讀者忽視了劉再復時而抽象的思索，也無從涵蓋他對超越時代的人性的追求——這樣的追求，恰是中外歷史上諸多偉大文學家、哲學家、思想家如梭羅、歌德、康德、托爾斯泰等的共同追求。正因為同樣看重人心的道德律，懷有對人文主義的虔誠嚮往，劉時時在其片斷寫作中與歷史人物對話，尋找永恆的意義。可以說，碎片既記錄了劉再復對歷史情境的深思，也保存了他有意識地超越現實、追求本真的個人努力。一如他徵引並解釋約瑟夫·康拉德的話語片斷：「文學藝術是將最高的正義給予有形的世界的一種嘗試，它試圖在宇宙、物質，以及現實生活中找

19 劉再復：《獨語天涯》，頁 317。

出基本的、持久的、本質的東西……這種基本的、持久的東西，就是人性。」[20]如果說特定的歷史條件造成的文學藝術意義，是直接和直白的第一層意義，那麼淩駕於歷史之上的經驗則將文學提高到第二層意義，一種更深刻持久、更接近事物本質的意義。

三

在地理和歷史的空間向度之外，劉再復悟語片斷最重要的個人性，體現在他哲學的思維習慣上，更具體來說，是道家與禪宗哲學影響下的美學觀、世界觀。禪宗的「頓悟」直接影響了劉再復的悟語體寫作，啟悟他放下研究意識與著述意識，以心靈生活之需，記下讀書時的頓悟片斷：「悟的方式乃是禪的方式，即明心見性、直逼要害、道破文眼的方式，也可以說是抽離概念、範疇的審美方式。因此，它的閱讀不是頭腦的閱讀，而是生命的閱讀與靈魂的閱讀。」[21]

在世界文學史上，「漂流美學」自有歷史線索可以追尋：盧梭般的孤獨漫步者、班雅明筆下波德萊爾式的都市漫遊者、紀德懇切呼喚的離家旅人、還有如喬伊斯和

20 同上註，頁221。
21 劉再復：《紅樓夢悟》（香港：三聯書店有限公司，2008），頁8。

昆德拉一樣的流亡之人，都可以在某種程度上視作以漂流為美學的代表。劉再復對於漂泊經驗的感悟及對於漂流美學的認同，呼應了上述的文學傳統，但值得注意的是，他還將「逍遙遊」與「無立足境」等東方哲學觀念注入其個人的漂流美學中。劉將莊子內在精神的逍遙視為比現實流浪更深刻的漂流：「作家詩人在本質上都是流浪漢。即使沒有身軀的流浪，也會有心靈的流浪。莊子作逍遙遊，便是靈魂的大流浪。」[22]換言之，當班雅明筆下的漫遊者在都市街道間尋覓靈韻（aura）之時，劉再復理想的漂流者是具有形而上的逍遙意識的，這種境界還可以延伸為一種空寂感，一種大於家國、歷史語境的「生命宇宙語境」。[23]而劉對於《紅樓夢》的諸多感悟片斷便與這種精神境界相關：「林黛玉不僅有『念天地之悠悠』的蒼涼與恢弘，而且還有陳子昂所缺少的蒼涼中的空靈與飄逸……能在生命宇宙境界中飛馳的詩魂，才是大詩魂。」[24]

此外，漂泊瀚海的個人經歷使劉再復逐漸貼近禪宗的思想，最顯著的表現之一便是對「無立足境」的認同。在《紅樓夢悟》中，他將寶玉描述為「宇宙的流浪

---

22 劉再復：《面壁沉思錄》，頁14。
23 劉再復：《紅樓夢悟》，頁24。
24 同上註。

漢」，並視黛玉所作偈語「無立足境，是方乾淨」為最根本的提醒。[25]這種「無家之感」、「處處皆異鄉」或「檻外人」之感，是對生命本質作出的反思與領悟。十二世紀的修道士雨果（Victor Hugo）曾寫下類似的感嘆，被薩伊德引用在他那篇著名的〈關於流亡的省思〉裏：「那覺得家鄉美好的人，還只是一個稚嫩的新手；那可以處處為家的人，則已經是強大的人；但是，唯有把整個世界視為異鄉的人，才是完美的人。」[26]同樣，劉再復也為充滿異鄉感的「檻外人」和「異端」辯護：「曹雪芹在他們（西方存在主義哲學倡導者）之前就發現自己是異鄉人，發現自己本是泥濁世界彼岸的異類生命。」[27]

可見，漂流對於劉再復來說，已經不再局限於地理及歷史的意義。在哲學空間的闡釋層面上，他更像一個觀念世界的無盡漂泊者，在「無立足境」的現實世界裏嚮往着精神境界的逍遙遊。

---

25 同上註，頁 51。

26 Edward W. Said, "Reflections on Exile," *Reflections on Exile and Other Essays* (Cambridge: Harvard University Press, 2000), 147.

27 劉再復：《紅樓夢悟》，頁 54。

「逃離死亡」：片斷寫作的時間詩學

行文至此，對「片斷書寫」的定義尚未論及。學者 Olivia Dresher 指出：「片斷寫作沒有傳統的開頭和結尾……每個片斷都是生活的『吉光片羽』，是一段對思想、記憶、見解、心情、觀念、意象或經歷的記錄或描摹。」[28] 在 Olivia 的闡釋中，片斷寫作「無始無終」的時間性特點已經被明確點出，換言之，碎片寫作可以一直延續，沒有終結。就如卡爾維諾在《新千年文學備忘錄》中所指出的「枝節」寫作策略一樣，同樣是為了避免終結：「延宕結局、將敘述時間拉長，是一種永恆的逃離與飛翔。飛離什麼呢？答案當然是，死亡。」[29] 在《風格與幸福》中，霍拉斯亦指出了「碎片」文體的生命力：「所有的有生命的物體，既有個體的完整性，同時也有必要是一塊碎片；每一種僅僅只有完整性、自身自在的東西，都會冒出奇怪的冷氣和死亡氣息。」[30]

---

28 Olivia Dresher, ed., *In Pieces: An Anthology of Fragmentary Writing* (Seattle, WA: Impassio Press, 2006), xii.

29 Italo Calvino, *Six Memos for the Next Millennium* (Cambridge, MA: Harvard University Press, 1988), 46.

30 霍拉斯・恩格道爾：《風格與幸福：文學論文集》，頁 57。

因此，在時間意義上，碎片延宕的特徵克服了線性寫作的弱點，為作家爭取了無盡的時間，使「逃離死亡」成為一種可能。而這種追求時間性的永恆意識，在劉再復的碎片寫作中得到了極清晰的表達：「《紅樓夢》沒有被限定在各種確定的概念裏，也沒有被限定在『有始有終』的世界裏去尋求情感邏輯。反抗有限時間邏輯，反抗有限價值邏輯，反抗世俗因緣法，《紅樓夢》才成為無真無假、無善無惡，同時也是無邊無際的藝術大自在。其綿綿情思才超越時空的堤岸，讓人們永遠說不盡、道不完。」[31] 碎片，為逃離有限、追求無窮的表現形式。從僵死的教條中掙脫，拒絕概念、時代的限定，也因而充滿了時間性的意義。在劉看來，勾銷時間、放逐時間，正是一種將「生命的血脈與宇宙本體互相連結」[32] 的方式。

而與此同時，「逃亡」的路徑不僅在於拒絕概念和限定，還在於主體的分身，或多重主體的對話。在劉再復的片斷書寫中，他不斷強調主體多重：「通過自我審視達到另一個自我……唯有能告別自我偶像者，可不斷地贏得美麗的前方。」[33] 自我主體的分裂造成一種多聲部對話的效果，這是來自巴赫京的啟悟，而對話可以無限延續時間。在這一意義上，劉再復不斷以新的主體嘲笑、審視乃至告別過去的自

31 劉再復：《紅樓夢悟》，頁 12。
32 同上註，頁 138。
33 劉再復：《獨語天涯》，頁 310。

我主體，也同時嘲諷到過去荒誕的歷史時刻，因而得以不斷迎來新生。拒絕單一的、被限定的、刻板死守的主體，便是拒絕自我束縛與死亡。

事實上，劉再復對「死亡」最直接的感受與體會，來自於文革時期乃至之後政治運動的歷史經驗，這些片斷多收於《獨語天涯》中題為「死亡雜感」的部分。肉體生命的逝去，的確帶來思想與靈魂的衝擊，令劉不斷反思與「生命」、「死亡」、「再生」相關的話題，而這種關懷又延伸至對境界、本體、宇宙的詰問。「人生只是瞬間」的直觀體驗更為劉再復帶來了更深層的收穫，這不僅啟迪他成為永恆的自我流亡者，以頑強的生命意志兼散淡的處世之心生活、書寫，在碎裂中建造和更新出更完整的自我，更啟悟他擺脱具體的空間與時間的約束，探索超越歷史經驗與自傳框架的哲學與美學，在碎片的言説與留白的間隙，尋覓生命和精神中本質的、永恆的光芒。

「人生悟語──劉再復新文體沉思錄」
已出版書目

卷一　三書悟語
ISBN: 978-962-937-435-8
130x210mm • 192pp

卷二　紅樓悟語
ISBN: 978-962-937-436-5
130x210mm • 420pp

卷三　獨語天涯
ISBN: 978-962-937-437-2
130x210mm • 284pp

卷五　共悟人間
ISBN: 978-962-937-439-6
130x210mm • 424pp

「人生悟語──劉再復新文體沉思錄」
限量套裝（一套五卷）

卷一　三書悟語
卷二　紅樓悟語
卷三　獨語天涯
卷四　面壁詩思
卷五　共悟人間
ISBN: 978-962-937-440-2